ZŁODZIEJE PLANET

ZŁODZIEJE PLANET

DAN KROKOS

Przekład Michał Studniarek

DRAGEUS
PUBLISHING HOUSE

Warszawa 2013

Tytuł oryginału: *The Planet Thieves*

Copyright © 2013 by Dan Krokos

Grafika na okładce: Greg Call

Redakcja: Dorota Pacyńska

Korekta: Piotr Pawlik

Skład i łamanie: PRESS POINT Ewa Jurecka

Wydawca:
Drageus Publishing House Sp. z o.o.
ul. Kopernika 5/L6
00-367 Warszawa
e-mail: drageus@drageus.com
www.drageus.com

Druk i oprawa: Drukarnia Dziełowa
e-mail: drukarnia@dd-w.pl

ISBN: 978-83-64030-08-6

Dla Suzie Townsend,
za to, że zawsze poprawia moje błędy.

Podziękowania

Od dziecka marzyłem o napisaniu takiej książki – i oto ona. Kolejny sen się spełnił. Nie zrobiłbym tego bez pomocy Suzie Townsend, Joanny Volpe, Kathleen Ortiz i Danielle Barthel z New Leaf Literary. Dziękuję Whitney Ross i niesamowitemu zespołowi z Wydawnictwa Tor: Danie Kaye, Janet Reid i Rachel Silberman. Dziękuję wszystkim z Benderspink i Heyday Films, w tym Christopherowi Cosmosowi, J.C. Spinkowi, Chrisowi Benderowi, Jake'owi Weinerowi, Davidowi Heymanowi i Davidowi Whitneyowi. Podziękowania dla Steve'a Youngera za sprezentowanie mi biletów na mecz Dodgersów z rezerwacją parkingu. Na szczególne podziękowania zasługują moi przyjaciele: Adam „Complexity" Lastoria, Will „15 minute Salv/DE Epic" Lyle, Sean Ferrell, Jeff Somers, Barbara i Travis Poelle (oraz Char Char), Joe Volpe, Sarah Maas, Susan Dennard, Josh Bazell, Brooks Sherman, John Corey Whaley, Margaret Stohl i Jesse Andrews. Jesteście w porządku.

Specjalne podziękowania dla mojego staruszka, który odpowiednio wcześnie zainteresował mnie SF i fantasy.

I wreszcie dziękuję Wam za to, że wyruszyliście ze mną na tę przygodę. Mam nadzieję, że przy czytaniu będziecie się bawić równie dobrze, jak ja przy pisaniu.

Rozdział 1

Kawał, który Mason Stark zrobił siostrze, od początku był skazany na niepowodzenie. Przede wszystkim chłopiec nie powinien znajdować się na mostku, kiedy ona tam wejdzie. Kadetom do lat trzynastu zakazano wstępu do wszystkich części okrętu określanych jako „ważne dla prowadzenia walki". W efekcie mogli przebywać tylko w kwaterach załogi, kantynie, na sali gimnastycznej i niektórych korytarzach. Czasami siostra Masona, komandor podporucznik Susan Stark, zabierała go na pokłady inżynieryjne, ale to było wszystko.

Kawały zrodziły się z czystej nudy. Celem ostatniego był inny kadet, Tom Renner, który zdaniem Masona powinien dowiedzieć się, co Akademia I nazywa „pokorą w obliczu chwały". Tamten dowcip też źle się dla niego skończył. Warga Starka prawie się już zagoiła, ale lewe oko Toma nadal otaczał żółknący siniec.

Na obronę Masona należy powiedzieć, że osiemnastu kadetów rzeczywiście nie miało co robić na okręcie, który w większości był dla nich zamknięty. Oczywiście, kiedy nikt nie patrzył, ścigali się na korytarzach lub walczyli na niby, ale to szybko się im znudziło. A Mason miał już dosyć załogi powarkującej na kadetów przy każdej okazji lub każącej się im odczepić. Chłopak miał za sobą wiele lat szkolenia, lecz musiał udawać ładunek tylko po to, aby wyrobić sobie odpowiednią liczbę godzin wylatanych w kosmosie za semestr letni.

Innym powodem, dla którego dowcip się nie udał, był fakt, iż Mason nie przewidział, że kapitan Renner ogłosi w środku nocy ze swojej kajuty kod żółty. Kiedy jej głos zagrzmiał na całej jednostce, chłopak upuścił ostatnią śrubkę, którą wykręcił z fotela Susan. Na mostku jasne, białe światło zmieniło się w łagodnie pulsujące żółte. W normalnych warunkach między godziną trzecią a szóstą rano stanowisko dowodzenia znajdowało się pod kontrolą komputera. Teraz w ciągu kilku minut wszyscy się zlecą, i to godzinę wcześniej, niż się Mason spodziewał.

Oczywiście kadet zaczął się zastanawiać, co tak poruszyło w środku nocy panią kapitan, a za nią cały okręt. Wiedział, że nie mogło to być nic dobrego.

Ostatni powód, dla którego jego dowcip nie mógł się udać: rankiem to zwykle Susan była pierwszą osobą na mostku. Lubiła uruchomić swoją inżynierską konsolę i wypić poranną syntkawę, spoglądając w kosmos przez wielką, przezroczystą kopułę, oddzielającą mostek od zimnej próżni.

Powinna być sama, kiedy klapnie na podłogę. Zakładał, że nikt nie będzie tego widział. Potem roześmiałaby się, może założyłaby Masonowi trzymanie i tak długo tarła kostkami palców po głowie brata, aż skóra zaczęłaby go piec żywym ogniem.

Tymczasem na mostek wbiegli oficerowie z odciśniętymi na policzkach śladami poduszek, więc Mason zanurkował za konsolę pilota w przedniej lewej części kopuły. Najlepsze miejsce, aby się ukryć, tak naprawdę jedyne możliwe. Choć teraz znalazł się bardzo daleko od obu wyjść.

– Jak blisko jest jednostka Tremistów? – spytała kapitan Renner. Jej zazwyczaj starannie ułożone brązowe włosy były poskręcane. Oczy, mimo że nieco opuchnięte od snu, jak zwykle patrzyły twardo, dostrzegały wszystko. – Ile mamy czasu?

Kilka metrów od Masona podporucznik Chung stuknął w konsolę. Chłopak widział tylko jego plecy i kawałek hologramu, który pojawił się przed oficerem.

– Poprzedni kurs był równoległy do naszego, ale skorygowali go i są o trzysta klików bliżej, kapitanie. Teraz znajdują się zaledwie czterdzieści tysięcy kilometrów od nas. Sugeruję wprowadzenie kodu czerwonego.

Skulony za konsolą wielkości biurka, Mason oblał się zimnym potem, choć na mostku były jak zwykle dwadzieścia dwa stopnie ciepła. Kod czerwony ogłaszano tylko wtedy, gdy okręt mógł wejść w kontakt z Tremistami. BEZPOŚREDNI kontakt.

Jeśli chodzi o Tremistów, Mason wiedział o nich jedną rzecz na pewno, a pozostałe dwie przypuszczał.

Wiedział na pewno:

Tremiści byli obcą rasą zamierzającą zniszczyć ludzi.

Przypuszczał, że:

mieli lepszą technikę niż ludzie i w opinii wielu mogli wygrać.

Byli wampirami kryjącymi się we wnętrzu skafandrów przypominających zbroje, jakie wieki temu nosili rycerze na Ziemi. Chcieli pić ludzką krew. Mason wątpił, aby była to prawda, ponieważ inny kadet nazwiskiem Mical twierdził, że Tremiści byli także wilkołakami.

Podporucznik Chung wciągnął powietrze przez zęby.

– Nabierają prędkości. Zbliżają się, są trzydzieści pięć tysięcy kilometrów od nas. Kapitanie?

Dobry kadet powinien wstać, oznajmić swoją obecność, a potem pomaszerować do paki, prosto do celi. Mason nie chciał rozpraszać załogi, ponieważ było bardzo prawdopodobne, że nie wszyscy przeżyją spotkanie z Tremistami – to było jasne. Jednak strach kazał mu siedzieć dalej za konsolą. Wszyty w uniform kontroler czynności życiowych wibrował na przedramieniu, uporczywie przypominając, że powinien zmniejszyć szybkość bicia serca. *Jesteś zbyt zdenerwowany*, informował go uprzejmie. Stark ścisnął urządzenie w dłoni, aby je uciszyć, i miał nadzieję, że załoga tego nie usłyszała.

– Ogłosić kod czerwony – powiedziała kapitan. Łagodne żółte światło zmieniło się w pulsującą czerwień. Przejrzysta kopuła nad mostkiem była czysta, lecz teraz na czarnym tle kosmosu we wszystkie strony zaczęły biegać po niej wściekle czerwone słowa i cyfry.

Mason przycisnął twarz do konsoli. Teraz siedziała przy niej porucznik Hill, dzieliło ich zaledwie kilka centymetrów plastiku i metalu. Mason zerknął lewym okiem: Susan znajdowała się niemal z tyłu mostka, na skos od niego, przy panelu łączności z inżynierami.

NIE SIADAJ, pomyślał Mason. PRZEPRASZAM, PRZEPRA-SZAM!

Susan usiadła. Fotel natychmiast poleciał do tyłu, zrzucając ją na posadzkę. Syntkawa rozlała się wszędzie, plamiąc mundur od ramienia do nadgarstka. Wszyscy przebywający na mostku, cała piętnastka, zamarli. Susan zerwała się na równe nogi, mrugając, by pozbyć się kawy z oczu.

– Odległość? – spytała kapitan, ponownie skupiając uwagę załogi na ekranach.

– Trzydzieści tysięcy – zameldował podporucznik Chung. – Zbliżają się, ale powoli.

Mason znów wyjrzał zza konsoli. Susan jakoś wiedziała, gdzie dokładnie znajduje się przestępca, i już patrzyła na niego przez całą długość mostka. Jej twarz była czerwona, i to nie tylko od pulsujących świateł.

– Kapitanie – powiedziała, obciągając mundur na biodrach.

Uniform był standardowy dla wszystkich niezależnie od stopnia – proste czarne spodnie, wysokie czarne buty i koszule z długimi rękawami, również czarne. Cienkie i mocne, w zależności od pogody zapewniające ciepło lub chłód. Na piersi, po stronie serca widniał symbol Ziemskiego Dowództwa Kosmicznego – małe niebieskie koło wewnątrz srebrnego. Na kołnierzu munduru Susan znajdowały się jeszcze dwa niebieskie koła określające jej stopień. Na kołnierzu Masona nie było nic.

– Tak? – odpowiedziała kapitan.

Siostra nie odrywała spojrzenia od Masona, a chłopak ani drgnął.

– Proszę o zgodę na zabranie mojego brata z mostka i odprowadzenie go do więzienia.

Jego dowcip rozzłościł ją, a co gorsza, rozproszył, i to w chwili, kiedy powinna się skupić. Niezły z niego braciszek.

– Zezwalam – odparła pani kapitan, nie spoglądając nawet swoim twardym jak stal wzrokiem w stronę Masona. Inni oficerowie posyłali mu jednak pełne niesmaku spojrzenia. Chłopiec zniweczył właśnie nadzieje kadetów na zdobycie podczas tej misji jakiegoś szacunku u załogi. – Ale szybko – dodała.

Mason nie był nawet przestraszony, że znów wpadł w kłopoty. Czerwony kod ustawił wszystko w innej perspektywie. Próbując zachować spokój, przypominał sobie o faktach, ponieważ tak właśnie powinien postępować żołnierz. „Fakty uspokajają" – powiedziała mu kiedyś instruktor Bazell. „Logika to odpowiedź na zakażenie strachem" – dodawała czasami, cokolwiek miało to znaczyć. Ale warto było skorzystać.

Zatem fakty wyglądały następująco:

SS „Egipt" był okrętem flagowym, najważniejszym, nawet jeśli na jego pokładzie nie było admirała. Miał siedemset czterdzieści pięć metrów długości i składał się z dwóch połączonych ze sobą masywnych walców, co nadawało mu kształt wielkiej litery H. Lewy walec mieścił dwadzieścia poziomów, na których załoga mieszkała, pracowała lub szła do więzienia, jeśli narobiła siostrze wstydu przed innymi oficerami. Prawy zawierał silnik, którego używali do podróży w normalnej przestrzeni. Na środku części łączącej oba cylindry, wyglądającej jak poprzeczka w literze H, znajdowała się przezroczysta kopuła osłaniająca mostek. Jeśli spoglądało się stamtąd przed siebie, widać było obie walcowate części „Egiptu" wysuwające się do przodu niczym bliźniacze lufy dział. Lufy wielkości drapaczy chmur. To był SS „Egipt", gotowy do walki. Nie jakiś tam cywilny wahadłowiec. I jeśli ogłoszono kod czerwony, to znajdowali się tam, gdzie znajdować się powinni.

Mason uznał, że instruktor Bazell nie miała pojęcia, o czym mówi: fakty nie sprawiły, że poczuł się lepiej. Być może dlatego, że siostra przeszła przez mostek i stała teraz przed nim. Susan chwyciła brata za rękę i wyciągnęła zza konsoli. Wszyscy patrzyli na Masona, dopóki kapitan Renner nie warknęła:

– Chcę mieć test tarcz, teraz kiedy Tremiści są poza zasięgiem!

Susan wyprowadziła Masona z mostka; poszli korytarzem, do schodów, zeszli jeden poziom niżej. Strzałki na ścianie wskazywały, że w lewo szło się do pomieszczeń dla załogi, a na prawo do części inżynieryjnej.

Kiedy Mason podniósł głowę, zobaczył oczy siostry lśniące od łez. I kawy.

– Przepraszam, Susan. Naprawdę nie o to mi chodziło.

– A o co? – spytała spokojnie, co było gorsze, niż gdyby krzyknęła.

Pociągnęła go w lewo. Światła na suficie co kilka sekund migotały czerwienią, nadając ścianom barwę krwi. Jakby „Egipt" przypominał załodze, co się może stać, jeśli zawiodą.

– Myślałem, że spadniesz, kiedy nikt nie będzie tego widział. Nie wiedziałem, że ogłoszą kod żółty.

Siostra była wszystkim, co pozostało Masonowi, i jeśli zamierzał zrobić jej kawał, to taki, z którego obydwoje mogli się potem śmiać, a nie zażartować kosztem jej wizerunku. No, przynajmniej zakładał, że tak będzie w przypadku Wielkiego Upadku z Fotela w roku dwa tysiące osiemsetnym. Susan była podobna do ich matki, a on do ojca. Jej włosy i oczy były tak ciemne, że wydawały się niemal czarne, a włosy Masona miały barwę piasku, oczy zaś były błękitne jak silnik „Egiptu" przy pełnej mocy.

– Skąd mogłeś wiedzieć? – przyznała. – Tak czy owak, to było naprawdę wredne. Zdawałeś sobie z tego sprawę, prawda? Masz szczęście, że lubię letnią kawę.

Mason nie sądził, aby to było możliwe, ale poczuł się jeszcze gorzej: traciła czas, by zawlec brata do aresztu. Powinna być na mostku, skupiając się na nadlatujących Tremistach.

W korytarzu rozległ się alarm, rozbrzmiewał na przemian z czerwonymi światłami. Na kanale ogólnym rozległ się głos kapitan:

– Uwaga, cała załoga, poza obsadą stanowisk bojowych, ma znaleźć bezpieczne miejsce i zapiąć pasy.

Mason poczuł, jak jego siostra sztywnieje. Susan nigdy nie okazywała strachu, nigdy nie drżała. Mason nie wiedział, co dokładnie oznaczał komunikat, ale skoro wywołał taką reakcję u siostry, to domyślał się, że on z kolei powinien zacząć płakać.

– Wiesz, że musimy trzymać się razem? – spytała Susan, przekrzykując hałas. Zaprowadziła go do windy, którą mieli zjechać dwa poziomy niżej, do aresztu. – Dlatego chcę, abyś pomyślał o tym, co zrobiłeś.

– Susie... – zaczął Mason. Nigdy tak się do niej nie zwracał. Przenigdy.

Susan skrzywiła się, ale nie uśmiechnęła.

– Nie martw się o mnie. Nic mi nie będzie.

Mason nie odpowiedział. W ciągu kilku godzin Susan wybaczy mu z uśmiechem, może jakoś się na nim odegra. Nie z zemsty, ale gdy wyrówna rachunki, jej brat będzie wiedział, że nie ma do niego żalu.

Światła nagle zaczęły migać szybciej – kod czerwony dwa, oznaczający, że w przeciągu trzydziestu sekund nastąpi bezpośredni kontakt. Serce Masona waliło tak mocno, że aż bolało. Chciał być gdziekolwiek, gdzie mógłby pomóc.

Ukarzcie mnie. Dajcie mi stanowisko przy wyrzutni.

Właśnie spełniał się jego największy koszmar: czekał na wystrzelenie w kosmos, nie mogąc w żaden sposób zrobić użytku ze swego wyszkolenia.

– Musimy się pospieszyć – rzuciła Susan. Puściła jego rękę, resztę drogi pokonali biegiem. – Tam będziesz bezpieczny.

– Bezpieczny?

– Mamy kod czerwony, głupku. To miejsce jest bezpieczne – powiedziała tonem, jakim wypowiada się rzeczy oczywiste.

– Zestrzelimy ich? – zabrzmiało to niemal jak pytanie dziecka szukającego uspokojenia u starszej siostry. Mason ze wstydem zacisnął szczęki – w ciągu ostatnich lat nie potrzebował pocieszania. Siostra uśmiechnęła się, ale był to najsmutniejszy uśmiech, jaki Mason widział w życiu. Poczuł chłód w całym ciele, szczególnie że nie zapewniła go natychmiast o wygranej. Po prostu biegli dalej.

Areszt świecił pustkami jak zwykle, ponieważ żołnierze na jednostce dowodzonej przez kapitan Renner wiedzieli, że zasad lepiej nie łamać. Było tam niewielkie biurko dla strażnika oraz długi i wąski korytarz z trzema ciasnymi celami po lewej i trzema po prawej stronie. Susan wklepała na klawiaturze panelu sterującego serię cyfr i pierwsze plastikowe drzwi z prawej uniosły się do góry. Mason ruszył ku nim, ale Susan złapała go za rękę i odwróciła tak, że znaleźli się twarzą w twarz. Teraz, kiedy liczył sobie już ponad metr sześćdziesiąt osiem, była od niego niewiele wyższa.

– Nie chciałam, abyś się martwił – powiedziała. To nie było w jej stylu. Zwykle pozwalała, aby choć przez chwilę się pomartwił.

– Jest aż tak źle? – Mason wstrzymał oddech. – Możesz mi powiedzieć.

– Słuchaj. Zostań tu, dopóki ktoś cię nie wyciągnie. – Położyła dłonie na jego ramionach i ścisnęła nieco zbyt mocno. – Tu będziesz bezpieczny.

– Nie chcę być bezpieczny. – Choć obawiał się, że tak naprawdę chciał, że jednak cieszy się, ponieważ uniknie swojej pierwszej walki. – Susan, co się dzieje?

Mason poczuł, jak okręt przyspiesza; wibrujące buczenie, które szło od podłogi w górę (i które czuł w nogach), nie mogło oznaczać nic innego. Jego ciało przechyliło się na prawo i musiał się oprzeć o ścianę. Susan pocałowała go w czoło i zapędziła do celi, a plastikowa ściana opadła na miejsce. Nim wybiegła, spojrzała na niego po raz ostatni – tak jak sześć lat temu. Znajdowali się w wahadłowcu, Mason miał rozpocząć swój pierwszy dzień nauki w Jedynce, czyli Akademii I. Susan leciała nieco dalej, na czwarty rok w Akademii II. Była szesnastoletnią dziewczyną i patrzyła na brata tak, jakby już nigdy miała go nie zobaczyć. Wtedy Mason niespecjalnie się nad tym zastanawiał, zbyt ekscytowała go Akademia. Teraz jednak był wystraszony i zaniepokojony. Dłonie miał spocone.

W celi nie było ławek, więc Mason stał. Zmieniło się to kilka sekund później, kiedy „Egiptem" zatrzęsła eksplozja i zgasły wszystkie światła.

Rozdział 2

Kilka sekund później uaktywniło się oświetlenie awaryjne, ale było to światło przygaszone i zimne. Mason dźwignął się chwiejnie na nogi, pocierając szybko rosnący na głowie guz. W korytarzu zabrzmiał kolejny alarm i podłoga przechyliła się pod stopami kadeta – „Egipt" skręcił mocno w prawo. Tym razem chłopiec był przygotowany, wsparł się o ścianę obiema rękami.

Teraz, kiedy był już „bezpieczny", Mason uświadomił sobie, że tak naprawdę nie tego pragnął. Kiedy uzmysłowił sobie ten fakt, poczuł się nieco lepiej: nikt nie chce być uznawany za tchórza. Nie czuł się jednak bezpieczny, raczej jak schwytany w pułapkę, a czekanie na śmierć mogło być gorsze niż wyjście i stawienie jej czoła. O ile to możliwe z innymi kadetami. Adrenalina pompowała w żyły ciepło, osłabiając strach i zastępując go uczuciem, które żołnierze określali jako „coś się dzieje!". A więc o TYM cały czas mówili. Po miesiącach nudy i bezczynności niespodziewane zagrożenie było czymś prawie że mile witanym. Prawie.

Mason postukał w skórę za lewym uchem, aby uruchomić wszczepioną tam małą jednostkę łączności. Było to standardowe wyposażenie, każdy członek Ziemskiego Dowództwa Kosmicznego musiał je mieć. Stukając, pomyślał o Tomie, toteż uruchomił się kanał łączności.

Tom był ostatnią osobą, z którą chciał się połączyć, ale też jedyną, która mogła go stąd wyciągnąć. Chłopak znał się na komputerach lepiej niż kadeci opuszczający Dwójkę, czyli Akademię II, lepiej nawet niż większość załogi, a Mason nie mógł temu zaprzeczyć.

Ciche brzęczenie w uchu oznaczało, że sygnał dotarł do adresata. Mason zagryzł wargę, zastanawiając się, czy Tom odbierze. Pewnie przyjdzie, choćby po to, aby go skrzyczeć, że grzebanie przy sprzęcie jest niebezpieczne. Formalnie był o rok młodszy od liczącego sobie dwanaście lat Masona, ale tak naprawdę urodzili się w tym samym szpitalu w odstępie kilku tygodni. Rodzice Masona zginęli podczas Pierwszego Ataku, rodzice Toma – nie. Jego mama była kapitanem „Egiptu", a ojciec wiceadmirałem na stacji kosmicznej „Olimp".

Tak naprawdę Mason i Tom nie rozmawiali ze sobą zbyt wiele, jeśli nie musieli. Tom myślał, że wie wszystko tylko dlatego, że jego mama jest kapitanem. Mason nie zgadzał się z tym. Niestety, pozostali kadeci mieli inne zdanie. „Powinienem był zadzwonić do Merrin" – myślał chłopak, podczas gdy łącze dalej brzęczało. Merrin może i miałaby problem z wyciągnięciem go z celi, ale przynajmniej będzie szczęśliwa, że go widzi.

Mason poznał Toma i innych kadetów parę lat wcześniej w Jedynce, ale na co dzień w większości byli w różnych jednostkach, które spotykały się tylko na ćwiczeniach grupowych, więc tak naprawdę nie znał ich wystarczająco dobrze. Teraz, kiedy kończył Jedynkę i musiał wylatać obowiązkową liczbę godzin w przestrzeni kosmicznej, został skierowany na SS „Egipt" wraz z siedemnastoma innymi kadetami z różnych roczników. Dwa tygodnie wcześniej „Egipt" wyruszył ze stacji kosmicznej „Olimp" na rutynowy patrol, który dla kadetów miał rozpocząć nowy rok szkolny na Jedynce. Albo – jak w przypadku Masona, Merrin, Toma, Jeremy'ego i Stellana – na Dwójce. Wielka sprawa, bo tam szkoli się naprawdę.

Dziesięć dni temu wydarzył się wypadek: Tom przegrał biegi, ponieważ Mason włączył przyciąganie magnetyczne po jego stronie korytarza. Kadeci nudzili się w środku nocy, Jeremy wspomniał, jak dobrym jest sprinterem, a Tom powiedział coś w stylu:

– Założę się, że jestem szybszy.

Na co Jeremy:

– Założę się, że tak nie jest.

Podczas wyścigu Mason użył konsoli w ścianie, aby uruchomić magnesy. Właściwie to nie wiedział nawet, dlaczego to robi. Tom na moment stanął jak przyrośnięty do podłogi, po czym przewrócił się i obtarł sobie dłonie na szorstkim chodniku. Magnesy działały tylko ułamek sekundy, więc wyglądało to tak, jakby Tom sam się przewrócił. Pokora w obliczu chwały.

Tom wstał, popatrzył na obtarte dłonie, po czym przycisnął je do munduru.

– Kto to zrobił?

Mason uniósł rękę.

– Ja.

Tom pokiwał głową, jednocześnie marszcząc czoło, jakby analizował tę informację. Potem podkradł się i wyprowadził idealny prosty w podbródek Masona.

Widać było, że uważał na zajęciach z walki wręcz. Mason przyjął cios, ponieważ wiedział, że wszyscy patrzą, i w rewanżu walnął łokciem w policzek Toma. A potem Jeremy stuknął ich głowami na tyle mocno, że przestali.

– Ściągniecie kłopoty na nas wszystkich – powiedział.

– Nieważne – wypalił Tom. – Mason jest tu tylko dlatego, że jego rodzice umarli i nie wiadomo było, gdzie go wsadzić.

Kilku kadetów sapnęło. Mason poczuł, jak w jego piersi pojawia się lód. Tom wziął głęboki oddech, wyglądał na oszołomionego.

– Nie miałem tego na myśli – powiedział. – Hej, naprawdę. Jestem tylko porąbany.

Mason pokiwał głową i bardzo się starał nie patrzeć na podłogę lub gdziekolwiek indziej poza twarz Toma.

– Podajcie sobie ręce – zarządził Jeremy. Wypchnął do przodu podbródek, jakby chciał pokazać kiełkujący zarost. – Teraz. Thomas?

– Tak.

– Wyciągnij rękę.

Mason domyślał się, że pozostali kadeci mieli widowisko, lecz żaden z nich nie odezwał się ani słowem. Dopóki jeden nie wyszeptał:

– To było szalone.

Mason podał dłoń. Tom przytrzymał ją chwilę dłużej i powiedział:

– To było podłe z mojej strony.

Mason przyjął przeprosiny. Wiedział, co to znaczy powiedzieć coś, czego nie chciało się powiedzieć, po prostu wyrzygać, a potem czuć ten miażdżący ból, kiedy uświadomiłeś sobie, że żadna siła tego nie cofnie.

Zaledwie dwa lata wcześniej, kiedy Susan odwiedzała go w Jedynce i usiłowała dawać jakieś pomocne rady, Mason powiedział: „Nie jesteś mamą, jasne?". Oczy siostry zaszły łzami i choć chłopiec przepraszał ją potem po tysiąckroć, to czasami wspomnienie tych słów dławiło go w piersi.

W każdym razie po tej bójce i podaniu rąk na zgodę Tom nie zachowywał się już tak wyniośle. Czy nie był to rodzaj postępu, o jaki ciągle zabiegali w ZDK?

* * *

Po dziewięciu brzęczykach Tom wreszcie odebrał i powiedział: „Kadecie Stark?". Ton jego głosu był obojętny, zdawał się wyrażać całą złość, jaką kiedykolwiek czuł wobec Masona. Lub kogokolwiek innego w galaktyce.

– Tom, musisz wyciągnąć mnie z aresztu.

Poczuł, że „Egipt" zaczął nurkować, bo jego stopy stały się lekkie, dopóki sztuczna grawitacja tego nie skompensowała. Skoro nurkowali, czy oznaczało to, że usiłują umknąć Tremistom? Dlaczego nie postawić po prostu bramy i nie zniknąć? Jednak jeśli Tremiści są naprawdę blisko, nic ich nie powstrzyma przed podążeniem za okrętem ZDK. Najwyraźniej byli blisko.

– Co robisz w areszcie? – Tom był wyraźnie zniecierpliwiony, jakby Mason przeszkodził mu w robieniu czegoś bardzo ważnego.

– Siostra mnie wsadziła.

– Zatem sądzę, że najlepiej dla ciebie będzie, jeśli pozostaniesz tam, póki twoja siostra albo moja matka nie przyjdą, aby cię wypuścić. Wątpię, aby dały ci dostęp do swoich łączy.

Typowa odpowiedź Toma. Mason miał ochotę walić w ściany. Po sześciu dniach podróży on i kilku innych kadetów naradzało się nad najechaniem jednej z kuchni, ponieważ tego dnia kucharz piekł prawdziwe ciasto, z prawdziwych jajek i cukru. Tom wyglądał na znudzonego, potem wyrecytował z pamięci wszystkie paragrafy, które by naruszyli. Nikt nie wybrał się po ciasto. A potem, jakby chcąc dowieść, że obchodzą go nie tylko kodeksy i zasady, sam poszedł po zdobycz. Przewidując to, Mason dopadł ją pierwszy. Zyskał przez to w oczach innych kadetów. Tom również. Lecz Mason nadal nie wiedział, czy Tom jest sztywniakiem zrobionym z lodu, czy kimś, kto umie wyluzować i potrafi się bawić. Powinien o tym pamiętać, zanim zwrócił się o pomoc do syna pani kapitan.

– Proszę, Tom. A jeśli dojdzie do abordażu? Tremiści zabiją mnie na miejscu – powiedział tak, aby szybciej przekonać Toma, choć prawdopodobnie było to też prawdą.

O ile obcy nie uznają młodego kadeta za użytecznego zakładnika, może skończyć jako przekąska. Myśl, że mógłby zobaczyć jednego z Tremistów, przyprawiła Masona o dreszcz eksytacji połączonej z czystym, chorym strachem. Zastanawiał się, jak wyglądają pod tymi swoimi lustrzanymi przyłbicami. Krążyły plotki, że ZDK dokładnie to wie, lecz z nikim nie dzieli się tą wiedzą. Ukrywanie wroga, który – jeśli wierzyć opowieściom – chciał wypić krew Masona lub zmienić się w wilkołaka albo w to, co akurat głosiła plotka, nie wydawało się fair.

– Zabiją mnie, Tom – Mason dodał do swojego głosu nieco więcej desperacji.

– „Egipt" ma tylko dwa punkty dostępu, oba mocno strzeżone i...

– Tom.

– Tylko jeśli nazwiesz mnie Thomas. Ciągle cię o to proszę.

Jego słowa zostały zagłuszone przez okrzyki kadetów: „Patrz! Pazury się rozwierają! Nie, skręcaj pod innym kątem!". Pragnienie ujrzenia, co się dzieje na zewnątrz, było dla Masona niczym swędzenie.

– Dobra, Thomas! Wyciągnij mnie stąd.

Łącze przestało działać. Mason zastanawiał się, czy Tom naprawdę przyjdzie, ale ten potrzebował tylko trzydziestu sekund, aby pojawić się z Merrin Solace u boku. Już sam jej widok sprawił, że żołądek więźnia przestał się zaciskać w supeł. Merrin była jego jedynym prawdziwym przyjacielem, jedynym kadetem na pokładzie, jakiego naprawdę znał. Spotkali się jeszcze przed Jedynką – na krążowniku, na którym Mason wcale nie powinien się znaleźć. Leciał na gapę, żeby dostać się do Akademii rok wcześniej; jako członek rodziny wojskowej miejsce miał zagwarantowane. Pozostanie na Ziemi i uczestniczenie w normalnym programie szkolnym w ogóle nie wchodziło w grę. Mason chciał uczyć się o kosmosie, być żołnierzem jak jego siostra. Susan prawie już zdała do Dwójki, a Mason umierał z niecierpliwości, czekając na swoją kolej. Jednak jego plan nie zadziałał: ZDK wlepiło mu bezsensowny mandat, a ponieważ nie miał rodziców, którzy mogliby go zapłacić, odesłało go do domu. Ale Mason i Merrin obiecali sobie, że spotkają się w następnym roku, kiedy i tak mieli zacząć naukę w Jedynce. Tak się stało. Od tego czasu byli przyjaciółmi.

Merrin była... inna. Długie włosy farbowała na fioletowo, aby pasowały do barwy jej oczu, a skórę miała tak bladą, że czasami Mason widział biegnące pod nią żyły. Jeśli światło było odpowiednie, wydawało się, że jej krew ma taką samą barwę jak oczy i włosy. Mason zapytał ją kiedyś, czy była chora i czy to dlatego jej krew ma inną barwę, a skóra jest tak jasna.

Jej oczy rozszerzyły się jak spodki, a potem zmarszczyła brew.

– Nie – odpowiedziała. – A ty?

To był koniec tematu.

Z kolei Tom bardziej niż Mason wyglądał na brata Susan. Miał ciemne włosy i oczy, zdawał się badać wzrokiem wszystko, na co patrzył. Przez to, zdaniem Masona, wyglądał na kogoś niegodnego zaufania. Kalkulującego, tak jak jego matka. U żołnierza ZDK to dobra cecha, więc nie można go było za to winić. Mason nigdy jednak nie widział, aby Tom się uśmiechał lub przynajmniej robił coś ponad niewielki grymas.

Stark skinął im głową.

– Cześć.

Oświetlenie przygasło nagle, by zaraz na powrót zaświecić równomiernie. Gdzieś rozległ się odgłos dartego metalu, który kojarzył się Masonowi z nagraniami pieśni wielorybów, puszczanymi na zajęciach o ziemskich zwierzętach.

– A więc... jesteś w areszcie – stwierdziła Merrin. – Wiedziałam, że to tylko kwestia czasu.

– Z pewnością nie jest to najbardziej interesująca rzecz, jaka się teraz dzieje – odparł Mason.

Tom zignorował ich, podchodząc od razu do panelu sterującego, i podpiął do portu osobisty tablet.

– Spodziewam się, że opowiesz wszystko ze szczegółami później – zachichotała Merrin, kręcąc głową. Wyglądała na rozbawioną. „Egipt" był atakowany, a Merrin Solace miała niezły ubaw.

Tom przełknął ślinę.

– Niech będzie wiadome, że łamię regulamin, ponieważ twoje życie może być zagrożone.

– Niech będzie wiadome – powtórzył jak echo Mason, choć nogi świerzbiły go, by stąd wiać, wiać, wiać. Wyobrażał sobie, jak Tremiści wdzierają się na pokład, więc będzie mógł wypróbować kilka technik walki wręcz, których nauczył się na piątym i szóstym roku. Kiedy tylko o tym pomyślał, powstrzymał fantazję, jeśli Tremistom uda się wejść na pokład „Egiptu", będzie to oznaczać, że przegrywają. Susan, a także wszyscy inni, znajdą się w poważnym niebezpieczeństwie.

W ciągu ostatniej minuty okręt nabierał prędkości, a teraz zwalniał. Mason musiał oprzeć się o lewą ścianę.

Tom zaczął tracić równowagę, lecz Merrin złapała go za rękaw.

– Dziękuję, Merrin – powiedział. Nie „kadecie Solace", zauważył Mason. Ciekawe, kiedy się tak zaprzyjaźnili.

– Nie ma sprawy. – Odwróciła się, aby obserwować korytarz.

Tom przycisnął kilka guzików na tablecie i drzwi do celi Masona stanęły otworem. Chłopiec wyszedł i poklepał Toma po ramieniu. Ten popatrzył na jego dłoń, jakby była pokryta wymiocinami.

– Dzięki – powiedział Mason, cofając rękę.

– Jesteś mi coś winien.

– Wiem.

Opuścili areszt, a Mason miał wrażenie, że oddycha wolnością. W oczyszczanym powietrzu coś śmierdziało. Jakby spalenizna. Mason odniósł wrażenie, że okręt przestał się poruszać, ale nie mógł być tego pewien.

– Wracajmy do pozostałych – zaproponowała Merrin. Skręcili za róg i minęli przejście do części łączącej oba segmenty „Egiptu".

– Kadeci, stać! – zawołał komandor porucznik Lockwood, biegnąc w ich stronę. Mason instynktownie znieruchomiał. Podobnie pozostali.

– Teraz wpakowałeś nas w kłopoty, Stark – szepnęła do niego Merrin kącikiem ust.

Lockwood był wysokim żylastym mężczyzną, prawie całkiem łysym, bo pozostał mu tylko wianuszek czarnych włosów dookoła głowy. Mason uważał, że wygląda jak orzeł. Zakrzywiony nos przypominał dziób,

a żywe oczy zdawały się widzieć wszystko. Jednak –
mimo poważnego wyglądu – komandor porucznik Lockwood przynajmniej nie traktował kadetów jak powietrze, w przeciwieństwie do niektórych oficerów, którzy
zdawali się nie wiedzieć, że ci istnieją.

Tom znieruchomiał, przestępując z nogi na nogę.

– Nie wyglądaj, jakbyś był winny – szepnął Mason.

Lockwood zatrzymał się kilka metrów przed nimi
i zmrużył oczy.

– Dokąd się wybieracie?

– Byliśmy... – zaczął Tom, Mason przerwał mu:

– Siostra wsadziła mnie do aresztu za zadzieranie
z nią, a oni pomogli mi się wydostać.

Lockwood westchnął.

– Cóż, teraz to i tak nieważne. Chodźcie ze mną. Ruszył korytarzem w stronę czoła „Egiptu", a trójka kadetów za nim. Z drzwi po prawej stronie wypadło trzech
członków załogi w kamizelkach bojowych i z bronią.
Pobiegli w przeciwnym kierunku, ku poprzeczce i most-
kowi.

Karabiny były jak ostrzeżenie. Żołnierze zamierzali
strzelać wewnątrz okrętu, albo przynajmniej się do tego
przygotowywali.

Tom otwierał usta, aby zapytać, zaczął już nawet
wymawiać „dla...", lecz Lockwood tylko warknął:

– Idziemy, idziemy!

– Co może nam pan powiedzieć, komandorze? –
spytał Mason, kiedy zaczęli biec truchcikiem.

– W tej chwili nic – odparł Lockwood. Mason zauważył, że w lśniącym od potu czubku głowy mężczyzny

odbijają się czerwone światełka. – Kadeci, potrzebuję was, abyście zrobili dla mnie coś specjalnego, dacie radę?

– Tak jest – odparli jednogłośnie.

Mason nie miał problemów z potwierdzeniem przyjęcia rozkazów, ale nad ich wypełnianiem musiał jeszcze popracować.

Lockwood nie od razu powiedział im o tym „czymś specjalnym". Najpierw zjechali windą dwa poziomy niżej, potem weszli na długi, wąski ruchomy chodnik, który powiózł ich z szybkością prawie trzydziestu kilometrów na godzinę. Dotarli do przedniej części walca. Segmenty chodnika zwolniły, więc mogli z łatwością zejść z niego przed drzwiami do kwater kadetów. Skrzydła rozsunęły się automatycznie, a Lockwood właściwie zagnał ich do środka. Kadeci mieszkali w kajucie oficerskiej, która została przerobiona z myślą o nich: wszystkie luksusowe meble zostały zastąpione szeregami piętrowych prycz. Był to ich dom do czasu, kiedy „Egipt" wróci na Marsa, a oni trafią do Jedynki lub Dwójki.

Ponieważ była to kwatera oficerska, miała z przodu okno sięgające do sufitu, dzięki czemu można było bez przeszkód obserwować, co dzieje się na zewnątrz. Bez przeszkód, jeśli nie liczyć piętnastu innych kadetów w wieku od siedmiu do trzynastu lat przyklejonych do szyby. Na szczęście rozmiar okna pozwolił przybyłym obserwować rozwój sytuacji.

W ich stronę pędził okręt Tremistów, na tle kosmicznej czerni wydawał się jaskrawy i bardzo żywy.

Merrin cicho sapnęła, a Tomowi tablet wysunął się z palców. Mason mógł tylko patrzeć. To był „Sokół", typ okrętu, którego budowę wnikliwie analizowali w Jedynce. Wielkie, rozpostarte i stykające się z przodu skrzydła ustawione jak do lotu nurkowego, ostre niczym dziób sokoła. Skrzydła mieściły w sobie dwanaście poziomów. Zamocowane od spodu silniki przypominały zakrzywione pazury. W tej chwili, gdy jednostka Tremistów zakreślała koło nad „Egiptem", błyszczały fioletową energią. Okręt krążył niczym ptak nad ofiarą.

– Nie bójcie się – powiedział cicho stojący za nimi Lockwood. – „Egipt" potrafi o siebie zadbać.

– Nie boję się – odparł od razu Mason. Było to kłamstwo, ale tylko częściowe; odczuwał też fascynację. Oglądał filmy z „Sokołem", ale widzieć go na własne oczy, pulsującego energią, poruszającego się z taką gracją, że „Egipt" wydawał się przy nim niezdarny jak wanna na jeziorze... to coś innego. Był mniejszy od „Egiptu", ale skrzydła i umieszczone pod nimi stanowiska ogniowe wyglądały wystarczająco groźnie.

– Komandorze? – spytał Tom. – Dlaczego nie strzelamy?

Lockwood próbował odpowiedzieć – wargi mu zadrżały, z głębi gardła wydobył się jakiś dźwięk stanowiący zapowiedź słowa – lecz Mason od razu wiedział, że cokolwiek by to nie było, będzie to kłamstwo.

Merrin posłała Masonowi spojrzenie mówiące: „zaraz skłamie". Dziewczyna najlepiej z nich wszystkich odczytywała ludzkie emocje, ale i Mason przez te lata nauczył się od niej co nieco. Jednak Lockwood postanowił niewygodne pytanie ominąć:

– Kadeci! Baczność!

Wszyscy stojący przy oknie odwrócili się i podbiegli, by stanąć przy swoich pryczach. Mason, Merrin i Tom dołączyli do nich.

– Spocznij – powiedział Lockwood. Kadeci rozluźnili się, ale nie poruszyli. – Nie chcę, aby ktokolwiek z was się martwił. Kapitan Renner wierzy, że okręt Tremistów chce nawiązać kontakt. Niestety, nie mogę powiedzieć więcej, ale macie tu zostać, aż przyjdzie oficer, aby was wyprowadzić. Zrozumiano?

– Tak jest, komandorze – odparli chórem kadeci.

Mason skrzyżował palce. Zauważył, że stojąca naprzeciw Merrin zrobiła dokładnie to samo.

– To dobrze. Kadet, który złamie rozkaz, odsiedzi swoje w areszcie i być może zostanie w szkole cofnięty o rok.

Z tymi słowami opuścił salę, zamykając za sobą drzwi. Wszyscy słyszeli szczęk zamka.

– Synu Zeusa – wymamrotał jeden z kadetów; to przekleństwo mogło go kosztować pięć pełnych przebieżek po okręcie.

Inny kadet roześmiał się, a kilka sekund później wszyscy znów tkwili z nosami przy szybie, rozglądając się za „Sokołem”. Chociaż pod tym kątem nie było go już widać, pokój wypełniło dziwne światło, malując twarze kadetów na kolor upiornej zieleni. I stawało się coraz jaśniejsze.

Mason zrozumiał, co się dzieje. Tremiści ładowali stanowiska ogniowe pod skrzydłami. Kilku kadetów, którzy też uważali na zajęciach, również to pojęło – cofali się, odruchowo szukając czegoś, czego można by się przytrzymać.

– Złapcie się...! – zaczął krzyczeć Mason.

Ledwo zdążył chwycić się pryczy, gdy „Egipt" wydał z siebie potworny dźwięk będący czymś więcej niż krzykiem, a potem podłoga uciekła im spod nóg.

Rozdział 3

Masona uczono, że wojna wybuchła, bo dwie rasy tak naprawdę nie umiały zatroszczyć się o to, co już posiadały. Obie chciały zagarnąć Błękitną Nori. Była to jedna z trzech znanych planet w galaktyce, na których mogli przetrwać ludzie. Błękitną Nori od bieguna do bieguna porastały lasy, miała też jeden ocean mniejszy od ziemskiego Atlantyku. Ponieważ oś planety była cały czas nachylona pod tym samym kątem, temperatura wynosiła od dziesięciu do dwudziestu stopni. Na powierzchni żyły jakieś stworzenia, lecz nie przypominały istot rozumnych. To oznaczało, że teraz – kiedy populacja Ziemi przekraczała osiemnaście miliardów – było to idealne miejsce dla ludzi. Na starej planecie zaczynało już po prostu brakować miejsca, nawet jeśli w galaktyce znajdowały się dziesiątki mniejszych osiedli.

Błękitna Nori miała rzeki, jeziora i jadalne rośliny o owocach smaczniejszych niż jakiekolwiek znane na Ziemi. Powietrze składało się w osiemnastu procentach z tlenu i świetnie nadawało się do oddychania. Była też nieznacznie mniejsza od Ziemi, więc ciążenie odpowiadało ludziom. Krążyły plotki, że na Błękitnej Nori można podskoczyć dwa razy wyżej niż na Ziemi, ale Mason zrobił obliczenia na zajęciach z zaawansowanej matematyki i wyszło mu, że zaledwie półtora raza.

Błękitna Nori idealnie nadawała się dla rasy, która wyrosła już ze swojej planety. Tremiści też wyrośli ze swojej planety.

Niewiele było o nich wiadomo. Pierwszy Kontakt z tą rasą miał miejsce w dwa tysiące sześćset czterdziestym roku, dokładnie sto sześćdziesiąt lat temu. W wysokich partiach atmosfery Neptuna widziano krążącą nad instalacjami ZDK wcześniejszą wersję „Sokoła" – był to pierwszy przypadek zaobserwowania obcej cywilizacji. Instalacja wysłała wiadomość radiową do „Sokoła", proste wywołanie, coś w stylu: „Hej, widzimy was, chcecie pogadać?". „Sokół" nie chciał pogadać. Nabrał prędkości i zniknął.

Po czterech latach nastąpił Drugi Kontakt, kiedy trzy „Sokoły" zbombardowały Jedynkę na Marsie. Trzydziestu ośmiu kadetów narażonych na kontakt z atmosferą zmarło.

Tremistów zaklasyfikowano jako wrogów. Lecz zanim pojawili się ponownie, minęło sto lat od Pierwszego Kontaktu.

Stało się to dopiero po tym, jak odkryto Błękitną Nori albo – jak niektórzy ją nazywali – Ziemię II. ZDK zbudowało w dolnych partiach jej atmosfery wielką bramę. Ludzie mieli wchodzić przez nią na Ziemi i wychodzić na platformę umieszczoną półtora kilometra nad powierzchnią Nori. Miała ona być zasilana energią nieszkodzącą środowisku. Tym razem ludzie chcieli wszystko zrobić, jak należy.

W dwa tysiące siedemset czterdziestym roku, kiedy brama była niemal gotowa, nadlecieli Tremiści w dwustu osiemdziesięciu sześciu okrętach. Nadzieja została zniszczona – dosłownie. Brama legła w gruzach, a wraz z nią wszelka nadzieja na założenie kolonii. SS „Norwegia" otrzymał wezwanie i załoga obserwowała na ekranie, jak Tremista w lśniącej zbroi płytowej i hełmie z lustrzaną zasłoną ogłasza, że od tej chwili Błękitna Nori należy do nich.

– Przekażcie to wszystkim – powiedział.

Załoga „Norwegii" wysłała ostatni przekaz na Ziemię, po czym sama została zniszczona.

A potem była już tylko wojna.

W ciągu tych kilkudziesięciu lat, po niezliczonych starciach i potyczkach, zdołano zdobyć tylko jednego „Sokoła". Całe ZDK ekscytowało się, że wreszcie dowiedzą się czegoś o biologii przeciwnika. Jednak Tremiści na pokładzie zginęli w jakiejś supergorącej eksplozji, która zniszczyła ich DNA, a wraz z nimi nadzieję na wyjaśnienie, jak wyglądają wrogowie.

Susan nie opowiadała Masonowi wszystkich szczegółów. Przeraziła go pewnej nocy, mówiąc, że tylko za podzielenie się z nim tym, co już powiedziała, mogłaby zostać skazana na śmierć. Oficjalna wersja głosiła, że okręt Tremistów był pusty.

Ich planeta również stanowiła zagadkę, choć uczeni z ZDK twierdzili, że przypuszczalnie jest podobna do naszej, choćby dlatego, że Tremiści wyewoluowali w niemal taki sam sposób jak ludzie. Mieli dwie ręce i dwie nogi, a za maskami skrywali najprawdopodobniej parę oczu.

Ale czy ktoś wiedział to na pewno?

„Egipt" był atakowany; nie było co do tego wątpliwości. Pokój nagle wydał się za ciasny, a zbyt wiele osób oddychało niewystarczającą ilością powietrza. Mason nie po to opuszczał areszt, aby dać się uwięzić tutaj. Najwyraźniej komandor nie miał na myśli, że powinni tu zostać bez względu na wszystko – to byłoby niebezpieczne. Najwyraźniej wspomniałby o tym, gdyby nie był tak bardzo rozkojarzony.

Mason pierwszy zerwał się na nogi. Merrin siedziała na podłodze, przyciskając dłonią czerwoną szramę na czole.

– Naprawdę chciałabym, aby przestali nas tak przewracać – powiedziała.

Wstała, zanim Mason zdążył jej pomóc, razem podbiegli do drzwi. Tak jak się spodziewali, były zamknięte. Obok wejścia znajdował się terminal komputerowy, za pomocą którego można było połączyć się z rdzeniem okrętu. Mason mógł uzyskać dostęp do niego i przedrzeć się przez kolejne poziomy menu, aby obejść zamek, ale Tom był szybszy i Mason o tym wiedział.

Merrin położyła dłoń na jego ramieniu.

– Pamiętaj o rozkazie Lockwooda. Nie chcesz stracić roku w szkole.

– Wiem – odpowiedział Mason. Ale teraz nie wydawało się to ważne.

Młodsi kadeci wstali i znów w milczeniu wyglądali przez okno. Tom też podszedł do drzwi, a z nim Jeremy i Stellan. Stellan był najwyższy i chudy jak szkielet, miał zapadłe policzki i wyglądał tak, jakby nigdy nie jadł dostatecznie dużo. Jego włosy wydawały się niemal białe. Pochodził z kraju zwanego Szwecją ("Szwecja", inny okręt ZDK tej samej klasy co "Egipt", został zniszczony dwa miesiące wcześniej przez "Izolatora" Tremistów), a Mason zastanawiał się, czy wszyscy jego mieszkańcy wyglądają tak jak jego kolega. W Jedynce ludzie różnili się wyglądem, ale rzadko mówili, z jakiego kraju pochodzili ich przodkowie. Tak daleko od Ziemi nie wydawało się to ważne.

Po bójce z Tomem Stellan wziął Masona na stronę i prysnął na jego rozbitą wargę nieco płynu, aby zapobiec zakażeniu i przyspieszyć proces gojenia. Chłopak skrzywił się, czując ostry smak, a Stellan powiedział: "Może następnym razem użyj słów". Mason doszedł do wniosku, że – ze względu na swoją wątłą budowę – w czasie nieporozumień między kadetami Stellan wybierał raczej słowa niż pięści. Podziwiał go za to; wszyscy musieli nauczyć się wykorzystywać swoje mocne strony. Wtedy jednak Mason chciał zauważyć, że to Tom uderzył pierwszy, ale odpowiedział tylko:

– Postaram się.

Jeremy był niski i muskularny, lubił chwalić się, że zapuści brodę. Mason obserwował go, jak robi to przez dwa tygodnie w Jedynce, ale włosy rosły kępkami i instruktor w końcu kazał mu je zgolić.

Masona i Jeremy'ego też połączyła walka. Dwa lata wcześniej Mason zadarł z czterema kadetami z Dwójki. Nabijali się z jakiegoś chudego drugorocznika na sali gimnastycznej, popychając go i rzucając na wyposażenie. Mason kazał im przestać. Tylko raz, bo chciał im dać szansę. Nie przestali. Największy właśnie walnął drugorocznika na odlew i Mason słyszał, jak chłopcu pęka nos. Dlatego włączył się, waląc rękami i nogami w ich słabe miejsca, ale to nadal było czterech na jednego. Jeremy pojawił się w samą porę, a ich połączona furia sprawiła, że tamci uciekli z poranionymi kolanami i podbitymi oczami.

Potem, kiedy pomagali młodemu kadetowi się podnieść, Jeremy powiedział:

– To było nie fair.

Uścisnęli sobie dłonie, a potem rozeszli się. Kadet nie był wdzięczny Masonowi:

– Nie powinieneś tego robić. Dziękuję ci i w ogóle, ale ich ośmieszyłeś. Teraz będą bardziej się mnie czepiać. Lanie bym zniósł.

Te słowa zaskoczyły Masona, nie brał pod uwagę, że jego pomoc może być niemile widziana. Mason przekazał to w wiadomości Jeremy'emu, po czym nocą wspólnie odwiedzili czterech kadetów w ich sali, aby upewnić się, że wiedzą, co się stanie, jeśli jeszcze raz zaczepią drugorocznika. Kiedy wychodzili, Jeremy powiedział:

– To lubię. Nawet nie musieliśmy ich tłuc.

– Czasami wystarczy z ludźmi pogadać – odparł Mason.

Mason widywał Jeremy'ego tylko wtedy, gdy ich jednostki spotykały się na ćwiczeniach, ale wydawało się, że niemal od razu zostali przyjaciółmi. Po bójce Masona z Tomem Jeremy powiedział tylko:

– Stary, pozwoliłeś mu, aby cię uderzył. Nawet nie próbowałeś się zasłonić. – A potem zmusił Masona, aby przez godzinę ćwiczył z nim bloki.

– Próbowałeś otworzyć drzwi? – spytał teraz Jeremy, trzaskając kostkami palców.

– Ee, jakieś pięć sekund temu komandor porucznik Lockwood kazał nam tu zostać – zauważył Stellan. Stał za Jeremym i Tomem, nerwowo załamując ręce.

– Spokojnie – odpowiedział Mason. – Przecież tu jesteśmy. Chcemy tylko upewnić się, że w razie potrzeby zdołamy stąd uciec. Wiesz, na wypadek, gdyby wdarli się Tremiści.

Merrin uśmiechnęła się kącikiem ust.

– Niemal w to uwierzyłam.

– Cicho! – syknął Tom. Jego palce zatańczyły na terminalu. Ekran zamigotał na sekundę, po czym rozbłysnął na czerwono. – Nie wypuści mnie. Co właściwie mi pasuje, ponieważ oznacza to, że przynajmniej raz możemy postąpić zgodnie z rozkazami.

– Zobacz, co robi okręt – powiedział Mason, spoglądając ponad ramieniem Toma.

– Czy to rozkaz, kapitanie Stark? – spytał Tom, unosząc brew.

– Sam chcesz to sprawdzić, więc nie utrudniaj.

Najwyraźniej tak było, bo Tom wygenerował nowy ekran, który przedstawiał obraz „Egiptu" widzianego z góry. Położenie kadetów wskazywała mała czerwona kropka na dziobie cylindra. Po drugiej stronie, niedaleko poziomu inżynieryjnego, dostrzegli „Sokoła" połączonego z głównym włazem „Egiptu".

– Niedobrze – powiedział Jeremy. – Powinniśmy być tam i rozwalać im łby.

– Nie – odparł Tom. – Powinniśmy słuchać rozkazów jak porządni żołnierze.

Mason położył dłoń na ramieniu Jeremy'ego.

– Spoko, Jer. Nie mamy broni, nie wiemy, gdzie się rozstawiła obrona...

– Tylko byśmy im przeszkadzali – powiedział mniej delikatnie Tom.

– Więc będziemy tutaj czekać? – spytała Merrin z rękami opartymi na biodrach. – A jeśli przejmą okręt?

– Czekanie tu to wspaniały pomysł – zauważył Stellan.

Właściwie nie wyglądał na wystraszonego, po prostu szanował autorytety. Doszedł do wniosku, że najszybszą drogą do własnej jednostki jest przestrzeganie rozkazów. Mason mógł to uszanować. Próbował robić tak samo, ale czasami całkowite podporządkowanie wydawało mu się niemożliwe. A raczej kwestionował każdy rozkaz, zaś przestrzeganie tych głupich było dla niego trudne. Pytał siebie dlaczego, a jeśli nie widział oczywistego powodu, zmuszał się do wykonania polecenia z zaciśniętymi zębami. Czemu czyścić pisuary w męskiej toalecie? Dwanaście godzin wcześniej sprzątał je inny kadet, nadal były idealnie czyste. Mason wiedział, że chodziło o dyscyplinę – usiłowali go jej nauczyć. Ale musieli znaleźć na to jakiś inny sposób.

Kiedyś instruktor złapał Masona na tym, że śmiał się z żartu podczas zajęć, i kazał mu stać przez sześć godzin w jednym miejscu na korytarzu z rękami nad głową, tak aby wszyscy przechodzący wiedzieli, że tkwi tam za karę. Chłopak wytrzymał trzydzieści minut, nim odszedł, uznawszy, że to głupie. To był głupi rozkaz, lecz jego niewykonanie sprawiło, że trafił do dyrektora Olega, który wydał mu następny rozkaz: poukładać zbiór należących do dyrektora papierowych książek. Mason oderwał wtedy setki okładek i połączył z innymi książkami tak, że żadna okładka nie pasowała do treści. To było trzy lata temu, a mimo to dyrektor nigdy już go nie wezwał. A Mason nigdy nie spodziewał się, że zostanie wezwany – książki pokrywała tak gruba warstwa kurzu, iż widać było, że nikt się nawet do nich nie zbliżał. Głupie rozkazy.

Na prawej burcie „Egiptu" zaczęły błyskać małe, niebieskie kropki, tuż obok miejsca, gdzie podłączył się okręt Tremistów. Były wszędzie.

– Co to oznacza? – spytała Merrin.

Tom zbladł i otworzył szeroko usta.

– Strzelają wewnątrz „Egiptu".

– Uwaga, załoga! – powiedział ktoś przez łącze okrętu. – Wszyscy mają zgłosić się do zbrojowni. Tremiści na pokładzie.

Przez kilka sekund nikt się nie odzywał. Myśli Masona wirowały, serce tłukło się jak oszalałe. Walka z wrogiem wewnątrz jednostki była czym innym niż na powierzchni planety. Tu ze wszystkich stron otaczał ich metal, byli jak w klatce. Nie było dokąd uciec. A jeśli któraś z broni energetycznych przypadkiem przedziurawi kadłub...

– Wszyscy to wszyscy – powiedział Jeremy. – To my też.

– Jesteśmy przeszkoleni – dodał natychmiast Mason, mając nadzieję, że pomysł chwyci.

Stellan cofnął się.

– Rozkazy Lockwooda są ważniejsze niż wasze marzenia o bohaterstwie. Widzieliście jego twarz, mówił cholernie poważnie.

Tom z roztargnieniem pokiwał głową.

– Masz rację. Nawet nie zamierzam przytoczyć na to odpowiedniego paragrafu.

Mason zacisnął zęby. Musiała istnieć jakaś luka w regulaminie, sposób, aby mogli uniknąć tak surowej kary.

– Jesteś w stanie stwierdzić, kto wygrywa? – spytał cicho Jeremy, co oznaczało, że jest sfrustrowany. Ściszał głos tylko wtedy, kiedy rzeczy nie szły po jego myśli.

Tom pokręcił głową.

– Nie, ale jestem pewien, że wygrywamy. Pokład inżynieryjny to labirynt poziomów i korytarzy, które znamy tylko my. Mamy przewagę.

Ponownie stuknął w ekran i przywołał obraz z jednej z kamer monitoringu. Ujrzeli wąską kładkę; w tle unosiła się para, czerwone światła odbijały się w metalu. Był to poziom chłodzący, tam, gdzie znajdowały się pompy „Egiptu". Susan pokazywała je Masonowi raz, wielkie rury biegnące równolegle do silnika chroniły rdzeń przed stopieniem.

Dokładnie na środku ekranu klęczało dwóch Tremistów w swoich pięknych pancerzach. Przypominały one zbroje płytowe, jakie nosili w dawnych czasach rycerze w Europie, ale nie był to tylko wyklepany młotkiem metal – powierzchnia zbroi Tremistów lśniła dziwnie, jak olej, zmieniając barwę w zależności od kąta padania światła. Czasem wyglądała prawie jak lustro, niemal srebrna, ale najczęściej oscylowała między czernią i ciemnym fioletem. Tremiści byli równie wysocy, jak ludzie i tak samo zbudowani, mieli dwie ręce i dwie nogi oraz hełmy osłaniające całą głowę. Te hełmy były najgorsze – owalna zasłona miała taki kształt, jaki powinna mieć twarz, ale zamiast niej widniało idealne lustro, więc mówiono, że jeśli popatrzeć prosto w nie, zobaczy się tylko swoje odbicie. Ostatnią rzeczą, jaką widziałeś, był wyraz przerażenia na własnej twarzy. Idealne odbicie twojej głowy na szczycie ciała Tremisty.

Obserwując, jak klęczą, Mason wiedział, że pod skafandrami nie kryją się ludzie. Byli zbyt pełni wdzięku, raczej płynęli, niż się poruszali. Pancerz nie wyglądał na masywny, płyty wydawały się uformowane i dopasowane dla każdego Tremisty z osobna. Fragmenty zbroi poruszały się z łatwością, jakby były wspomagane umieszczoną pod spodem delikatną maszynerią.

– Tremiści się... – powtórzył głos przez łącze, ale nagle przerwał.

Pięciu kadetów ostatniego roku obserwowało, jak obaj Tremiści unoszą długie ręczne karabiny do ramion i strzelają zielonymi promieniami lasera do załogi „Egiptu" ukrywającej się za wielkim zbiornikiem wiszącym nad przeciwległą kładką. Mason widział wyraźnie obraz odbity w zwierciadlanej osłonie stojącego bliżej Tremisty. Była tam kapitan Renner i dwaj inni żołnierze odpowiadający krótkimi seriami skondensowanego, okrągłego światła ze strzelb fotonowych. Kamera rozbłyskiwała, kiedy białe i zielone rozbłyski mijały się w drodze do celu. Mason wcześniej niż inni zauważył, co próbują zrobić wrogowie. Natychmiast zaczął rozglądać się po ekranie w poszukiwaniu Susan. Lasery trafiły w kładkę, nacinając metal w deszczu białych iskier. Tremiści nie strzelali już do kapitan Renner ani do jej żołnierzy. Celowali w metalowe podpory utrzymujące całą konstrukcję. Kładka stopiła się, ugięła, aż wreszcie runęła, dziesięć poziomów w dół.

Rozdział 4

Tom milczał, tylko patrzył na ekran w punkt, gdzie jeszcze przed chwilą znajdowała się kładka. Kładka, na której stała jego mama. Takiego upadku nikt nie mógł przeżyć. Kamera pokazała jeszcze Tremistów, prześlizgujących się jak duchy w głąb okrętu, a potem widać już było tylko puste miejsce na poziomie chłodzenia.

Teraz Tom miał coś wspólnego z Masonem. Kilka sekund temu było inaczej. Mason nagle poczuł zadowolenie, że jego rodzice umarli dawno, kiedy był mały, i tak niewiele wspomnień zachował. Wszystko, co udało mu się zatrzymać, to urywki i wrażenia, tu czy tam zapach, dotyk miękkich dłoni matki, kiedy go podnosiła. Śmiech ojca. Zdarzyło się to przed ośmiu laty, kiedy samotny okręt Tremistów wszedł w atmosferę Ziemi i zrzucił bombę na kwaterę główną Ziemskiego Dowództwa Kosmicznego na środkowym Manhattanie. Jego rodzice znajdowali się wewnątrz kompleksu i przedstawiali przed admirałami prezentację, usiłując przekonać ich, że można utrzymać pokój z Tremistami.

Wszystko w polu rażenia bomby wyparowało. Ziemia zamieniła się w taflę szkła.

Mason znajdował się wtedy osiem kilometrów dalej, w szkole podstawowej. Pamiętał, jak stanęły mu dęba włoski na rękach, kiedy przez miasto przetoczyła się fala elektryczności statycznej. Przez następne pięć minut nie wiedział, że to bomba, przez kolejne cztery godziny nie wiedział, że jego rodzice nie żyją.

W owym czasie Masonowi brakowało dwóch lat do rozpoczęcia nauki w Jedynce, ale czternastoletnia Susan była wtedy na pierwszym roku w Dwójce. Pozwolono jej przylecieć wahadłowcem z Marsa na górną część Manhattanu. Chłopiec spotkał się z nią na uroczystości upamiętniającej zabitych, zobaczyli się po raz pierwszy od roku. Pamiętał, że wyglądała na starszą niż teraz. Miała cienie pod oczami i zmartwiałe usta. Uroczystość odbywała się na ulicy, blisko miejsca, w którym kiedyś mieściła się kwatera główna. Bomba nie wywaliła krateru – po prostu zmiotła wszystko, co znajdowało się w okręgu obejmującym kilka kwartałów. Budynki, które stały na granicy jej zasięgu, wyglądały, jakby ktoś ostrym nożem, równiutko poodcinał z nich po kawałku, żeby wykroić ładne kółko. Mason spoglądał na kilkaset metrów pustej przestrzeni, za którą spokojnie stały pozbawione ścian budynki. Rodzice zginęli gdzieś tam, rozbici na pojedyncze atomy.

Nie mógł nawet o tym myśleć. Jego umysł stał się mętny i szary, pomyślał: „Jak mogą być tylko atomami?".

Mason pragnął wtedy nienawidzić Tremistów i nie mógł się do tego zmusić. Miał wyrzuty sumienia, ale czuł się tylko zmieszany.

„Dlaczego zaatakowali?" – pytał sam siebie. „Po co?"

Siostra trzymała jego mokrą od potu dłoń w swojej, Mason patrzył na przemawiającego prezydenta, ale nie słyszał słów. Potem Susan uklękła przed nim i powiedziała:

– Nie wiem, co zamierzają z tobą zrobić. Jestem zbyt młoda, aby być twoim opiekunem, i nie pozwolą mi przerwać nauki.

– Nie chcę, abyś przerywała studia – odparł Mason. Chciał, aby jego siostra została żołnierzem i walczyła z wrogiem. Tremiści sprawili, że wojna stała się czymś osobistym. Teraz coś czuł. Prawie się trząsł. Nie mógł doczekać się chwili, kiedy będzie na tyle duży, by do niej dołączyć. Nie dlatego, że chciał walczyć lub zabijać kogokolwiek, ale dlatego, że jego rodzice bronili Ziemi. W to wierzyli. Chronienie innych było największym powołaniem; tak powiedziała kiedyś mama, kiedy spytał ją, co jest dobrą pracą.

Przez następne dwa lata Mason przebywał w domu dla sierot po żołnierzach ZDK. Oglądał telewizję i ćwiczył tak jak jego ojciec, czasem wymykał się, aby biegać nocami po ulicach.

A pewnego dnia zakradł się na statek, poznał Merrin i został odesłany z powrotem na jeden bolesny i wlokący się rok. Ale potem dopiął swego, trafił do Jedynki. Nauczył się walczyć i robił to dobrze.

* * *

W pokoju panowała cisza. Pozostali kadeci niczego nie zauważyli: stali dalej przy oknie, wyciągając szyje, aby dostrzec coś na zewnątrz. Mason powoli uniósł dłoń, aby położyć ją na ramieniu Toma, ale zawahał się w ostatniej chwili. Niemal lękał się go dotknąć, Tom stał nieruchomo jak posąg ze szkła. Mason obawiał się, że tak samo może też pęknąć.

Merrin nie miała takich oporów, przyciągnęła Toma w uścisku, na co chłopiec pozwalał przez całe trzy sekundy, zanim delikatnie się uwolnił. Jego oczy były przekrwione, oddychał głęboko i powoli.

– Zabiję te obce dziwadła – warknął głosem, którego Mason nigdy wcześniej u niego nie słyszał. Wreszcie się w czymś zgadzali. Gniew, jaki Tom odczuwał, wypali cały jego strach, a zawsze lepiej być rozgniewanym niż wystraszonym.

– No to wyjdźmy stąd. – Mason wskazał na terminal.

Palce Toma zatańczyły nad ekranem, otwierając serię aplikacji, z których mogli korzystać wyłącznie programiści i inżynierowie „Egiptu". Kadeci co prawda byli zamknięci, ale jeśli Tom zdoła przekonać komputer, że to sytuacja awaryjna, drzwi się otworzą. Mason zastanowił się, czy nie poprosić Elizabeth, jak nazywano sztuczną inteligencję okrętu, aby ich wypuściła, ale ona słyszała wszystko i zapewne wiedziała, że mieli tu pozostać.

Obserwując, jak Tom wpisuje dziwne komendy, Mason pomyślał o Susan. Była gdzieś tam, może walczyła, może już nie żyła. Teraz automatycznie zostanie mianowany nowy kapitan, ale Mason nie był pewny, kto nim będzie. Może komandor porucznik Lockwood.

Na połowie ekranu zmieniały się obrazy z kamer, ukazując Tremistów wdzierających się na pokład, maszerujących w równych szeregach po kładkach, z karabinami laserowymi, które niektórzy żołnierze ZDK nazywali „pazurami", gotowymi do strzału. Tom zamknął te obrazy i zastąpił kolejnymi aplikacjami.

– Lepiej się zastanowić – powiedział Stellan. – Jeśli wyjdziemy stąd bez broni, to zabiją nas albo wezmą jako zakładników.

– Nikt nie powstrzyma mnie od wyjścia na zewnątrz. – Tom wytarł nos rękawem. – Tylko spróbuj.

Mason wolał nie próbować. Będzie z boku Toma. Skoro nie mogli zostać przyjaciółmi, przynajmniej mieli wspólnego wroga. Merrin pocierała grzbiet nosa jak zawsze, kiedy nad czymś intensywnie myślała. Nagle opuściła rękę, a wzrok miała jasny i skupiony.

– Ja też idę. Znajdziemy broń. Jeśli zdołamy w jakiś sposób pomóc, kara jest tego warta. Jeśli przegramy... to... nie będzie miało znaczenia.

To miało sens. Tak też postanowiono. Tom z wdzięcznością skinął jej głową, po czym udawał, że drapie się po twarzy, aby otrzeć łzę.

– Jeremy i Stellan, musicie zostać tutaj i czuwać nad resztą kadetów – powiedział Mason.

– W życiu! – Jeremy spojrzał na niego tak, jakby mu zaproponował wyjście w próżnię bez skafandra.

– No to kto ich będzie strzegł? – Stark puścił oko do Stellana. – Czy Stellan będzie mógł to zrobić sam?

Jeremy zastanawiał się nad tym sekundę czy nawet dwie.

– Ee, no, rozumiem, o co ci chodzi.

Stellan uśmiechnął się tajemniczo, Mason wiedział, że nie ma do niego urazy. Nachylił się i szepnął prosto do ucha Jeremy'ego:

– Jeśli nie uda nam się wrócić albo będzie wyglądało na to, że przegrywamy, zabierzcie wszystkich do wahadłowca ratunkowego, okej?

Cofnął się, a Jeremy ponuro pokiwał głową. Zrobi to. Komputer zapiszczał na Toma, który niemal zawarczał.

– Musimy być sprytni. Gdzie jest najbliższa zbrojownia? – spytała Merrin.

– Dwa poziomy niżej, sześćset metrów w stronę poprzeczki – odparł od razu Tom.

– Uzbroimy się, a potem pomyślimy, jak będziemy mogli pomóc – zadecydował Mason.

– Świetny plan, sam to wszystko wymyśliłeś? – zapytał Tom, nie odrywając wzroku od ekranu.

Mason zmusił się, aby nie odpowiadać; Tom miał prawo być wściekły i złośliwy po śmierci matki.

Merrin stuknęła stopą obok konsoli. Mason wiedział, że teraz, kiedy mieli plan, będzie się rwać do działania.

– Ile jeszcze, Thomas? – spytała.

– Kilka sekund.

Mason skinął głową w stronę młodszych kadetów przy oknie. Jeremy i Stellan uznali to za znak do rozpoczęcia opieki. Młodsi kadeci nie wydawali się przestraszeni, wszyscy przepychali się, by zdobyć jak najlepsze miejsce przy oknie, nawet jeśli jednostka Tremistów znajdowała się po przeciwnej stronie „Egiptu". Mason nie wiedział, czy są tacy dzielni, czy tacy głupi. Tak naprawdę to nie wiedział nawet, czy on sam jest taki dzielny, czy taki głupi. Mądrzej byłoby pozostać na miejscu, tego chciałaby jego siostra. Czekać, aż żołnierz po nich przyjdzie.

Ale zamiast żołnierza mógł przyjść Tremista.

Okręt jęczał, Mason poczuł, że „Egipt" skręca. Gwiazdy na zewnątrz zmieniły się, zawirowały, pojawiło się jasne, błękitne słońce położone nie tak daleko.

– Już prawie – powiedział Tom. Po twarzy ciekł mu pot, a może było to kilka łez.

Merrin przestępowała z nogi na nogę, zagryzając dolną wargę. Tom wpisał następną komendę i na ekranie pojawiły się słowa: „otworzyć" i „zamknąć". Dźgnął palcem w „otworzyć", a drzwi szczęknęły zamkiem.

– Gotowe!

Mason chwycił drzwi i przesunął je w bok. Cała trójka wyszła na korytarz i przykucnęła, by być jak najmniej widoczna. Światło awaryjne było przyćmione; panele na suficie migotały na biało i czerwono. Mason przebijał wzrokiem półmrok, wypatrując niebezpieczeństwa. Spodziewał się, że usłyszy jakieś krzyki, lecz panowała cisza, za wyjątkiem wszechobecnego szmeru okrętu. Podczas gdy pokój kadetów był pełen ruchu i stłumionych głosów, tutaj czuli się jak w grobie.

„Wracaj – szepnął głos wewnątrz niego – będziesz przeszkadzał, nie jesteś prawdziwym żołnierzem, nie jesteś tu bezpieczny, tu włóczą się potwory".

Zacisnął szczęki, walcząc z myślami.

Korytarz po lewej kończył się szybem windy. Po prawej był ostry skręt w lewo. Doszliby nim do łącznika i na mostek. Stamtąd właśnie dobiegł ich uszu tupot stóp na wyłożonej wykładziną podłodze.

– Wycofać się! – krzyczał ktoś. – Wy... – Słowa urwały się, kiedy duży promień zielonego światła przerył ścianę na zakręcie. Pazur Tremistów – promień uniósł się i opadł, ucinając krzyki. Broń bzyczała niczym tysiąc wściekłych szerszeni, lecz mimo to Mason nadal słyszał odgłos upadających ciał.

Ucieczka przed wrogiem jest tchórzostwem tylko wtedy, kiedy masz możliwość walczyć – ta lekcja odbijała się echem w jego umyśle, lecz po usłyszeniu tych krzyków trudno było się wycofać.

– Bądź sprytny – powiedział do siebie.

Merrin pociągnęła go za rękaw w stronę windy.

– Idziemy!

Mason już ruszył, kiedy na okręcie zadudnił głos Susan:

– Mówi kapitan Susan Stark.

Mimo że dłuższe pozostawanie na widoku było niebezpieczne, Mason uśmiechnął się. Susan żyła. W jej głosie nie było bólu, nie była ranna. Jego niewinny psikus mimo wszystko nie zniszczył jej koncentracji.

Jej mikrofon ponownie kliknął.

– Cała załoga...

Głos Susan został ucięty przez znane aż zbyt dobrze brzęczenie pazura.

Rozdział 5

Mason znieruchomiał, czekając, aż siostra odezwie się ponownie. Śmierć była czymś, o czym rozmawiali w Akademii, ale rozmowa to rozmowa, a teraz czuł się, jakby ktoś chlusnął mu w twarz kubłem zimnej wody. Minęła jedna sekunda, druga, lecz Susan się nie odzywała, a Mason przypomniał sobie upadek matki Toma. Zastanowił się, czy to właśnie czuł Tom – paraliż.

Susan nie zostawiłaby go; Mason był wszystkim, co jej pozostało. On sam wiedział, że bez siostry nie znaczył nic dla innych ludzi, oczywiście za wyjątkiem Merrin, ale to było coś innego. Susan była jedyną rodziną, jaką miał, i gotów był zrobić wszystko, aby jej pomóc.

Merrin złapała go za rękę i pociągnęła delikatnie, potem, kiedy Mason nawet nie drgnął, mocniej.

– Chodź – szepnęła. – Nic jej nie będzie. Jestem pewna, że tylko wyłączyli kom.

Mason chciał się ruszyć, ale czuł się tak, jakby miał zaraz zwymiotować. Wyczuwał to w głębi ust, palenie żółci i strachu, i nie wiedział, jak się tego pozbyć. Susan powiedziała mu kiedyś o pewnej sztuczce, ale było to coś, czym sama się rzadko posługiwała. Czasem, kiedy się bała, zbierała cały swój strach i przemieniała go w gniew. Gniew nie paraliżował tak jak strach.

Stanowił przeciwieństwo bezradności. Był też czymś niebezpiecznym, ponieważ mógł pozostać w człowieku na zawsze.

Mason poczuł gniew. Pozwolił, aby przez niego przepływał, nie próbował go złagodzić logiką czy rozsądkiem. Prawie czuł, jak zabiera z niego całą słabość, dając siłę konieczną, aby iść dalej.

Tom czekał na nich w windzie, przytrzymując drzwi ręką.

– Właźcie! – syknął.

W tej samej chwili pazur przestał się wgryzać w ścianę.

– Cśś, cicho – powiedział z korytarza męski głos. – Słuchajcie.

Mason wiedział, że nie pozostał tam żaden człowiek, odgłosy strzelb fotonowych ucichły. Kto więc to powiedział? Nie miało to znaczenia: stawianie Tremistom czoła bez broni nikomu by nie pomogło. Mason i Merrin podkradli się w stronę windy najcichszej, jak tylko mogli. Teraz chciał biec, ale tupot od razu by ich zdradził.

I wtedy komputer pokładowy Elizabeth powiedziała:

– Kadecie Renner, proszę przestać blokować drzwi.

Mason i Merrin wskoczyli do windy i odwrócili się w samą porę, by zobaczyć, jak zza rogu wybiegają trzej Tremiści. Biegli szybciej, niż człowiek był w stanie się poruszać. Ich płytowe zbroje lśniły jak mokre, oscylując między fioletem a czernią, odbijając oświetlenie korytarza i czyniąc je obcym. W osłonie hełmu biegnącego na przodzie Tremisty Mason dostrzegł odbicie własnej twarzy.

Tom zabrał rękę, ale drzwi się nie zamykały. A wrogowie byli już zaledwie o dziesięć metrów.

– Zamknij drzwi! – wrzasnął Mason, opierając się o ścianę.

– Dziękuję – odparła beztrosko Elizabeth i drzwi zaczęły się zasuwać. Tremiści stanęli, zdając sobie sprawę, że nie zdążą, po czym unieśli pazury. Żołnierz siedzący w głowie Masona, ta jego część, która nie chciała dać się wystraszyć, ocenił kąt, pod jakim Tremiści trzymali broń, i zorientował się, że za chwilę promienie przetną piersi kadetów na pół.

Drzwi się zamknęły. Mason pociągnął Merrin i Toma na podłogę, kiedy zielone promienie przecięły drzwi i ogrzały powietrze ponad nimi, aż zaczęło trzaskać. A potem kabina ruszyła w dół, stwarzając wrażenie, jakby to promienie uciekły w górę przez sufit i zniknęły. Powietrze było gorące i śmierdziało jak spalone kable. Drzwi otworzyły się dwa poziomy niżej, na korytarz identyczny jak ten, z którego właśnie uciekli. Tom podpiął tablet do portu windy.

– Usunięcie punktu docelowego... gotowe! To da nam kilka chwil.

Merrin wyjęła tablet z jego dłoni. Jej palce zatańczyły po ekranie, aż rozbłysnął na czerwono.

– Gotowe, zatrzymałam windę.

Tom podrapał się po nosie.

– Jak to...?

Mason już wyszedł z kabiny, wytężając słuch. Panowała cisza, nie wyglądało na to, aby okręt się jeszcze poruszał. Przeszli korytarzem i przez drzwi po prawej stronie dostali się do równoległego holu, którym mogli dojść do jednej z mniejszych zbrojowni. Mason miał nadzieję, że przyda mu się wiedza zdobyta na treningach. „Broń i taktyka" to jeden z jego ulubionych przedmiotów. Teraz nadeszła pora zobaczyć, jak ćwiczenia przekładają się na prawdziwą walkę. Do głowy przyszła mu prosta instrukcja: rozluźnij się, wdech, wyceluj.

Cały lewy walec składał się z takich właśnie korytarzy, biegnących jeden nad drugim, między rzędami różnorakich pomieszczeń. Cyfra na drzwiach informowała, że znajdują się na poziomie szóstym. Na poziomie drugim było kino. Poziomy czwarty i piąty zajmowała sala gimnastyczna. Jednak większość powierzchni to kwatery; „Egipt" był okrętem bojowym, ale wykorzystywano go również jako transportowiec. Choć w tej chwili na okręcie było zaledwie kilkaset osób załogi, mogło się ich tu pomieścić tysiąc.

Przeszli przez przylegający pusty korytarz, Mason usłyszał dalekie bzyczenie pazurów. Ktoś wykrzykiwał rozkazy. Walka trwała. Gdy tylko dostanie broń, przedrze się na mostek, a potem... Susan była nadal żywa. Musiała być, a on ją uratuje.

Zbrojownia była przed nimi, drzwi otwarte. Z wnętrza wypadały białe iskierki. Było cicho i spokojnie. Mason uniósł dłoń, zwolnili, bezszelestnie stawiając stopy na wykładzinie. Wyczuł stopiony metal i coś, co kojarzyło mu się ze stekowym czwartkiem w jadalni. Zapach palonego mięsa. Żołądek podjechał mu do gardła.

Tom był zbyt oszołomiony, aby zachowywać ostrożność, toteż odtrącił wyciągniętą rękę Masona i bez wahania wszedł do środka, jakby nie przyjmował do wiadomości, że może się tu czaić niebezpieczeństwo. Mason i Merrin oczywiście szli tuż za nim. Zbrojownia była zniszczona. Na ścianach, podłodze i suficie znajdowały się kiedyś panele promieniujące łagodnym białym światłem. Teraz były popękane i strzelały iskrami. Na podłodze leżały ciała żołnierzy ZDK; było ich ośmiu, a z ich mundurów jeszcze unosił się dym. Ściany, niegdyś zastawione bronią każdego rodzaju, były w większości puste. Zniszczone uzbrojenie walało się na podłodze.

Tom splunął na ziemię i zgiął się wpół, jakby chciał zwymiotować. Merrin zakryła usta dłońmi. Mason chciał zrobić to samo co oni, ale przypomniał sobie przerwane słowa siostry i ogarnął go spokój. Przykucnął, zaczął przeglądać rozrzuconą broń, szukając takiej, która jeszcze mogłaby działać. Nie mogli zniszczyć wszystkiego. Najbliższe zbrojownie były właściwie pomniejszymi składzikami, małymi szafkami ukrytymi w ścianach, a Mason wątpił, by nawet Tomowi udało się do nich dostać.

– Co tu robicie? – spytał cicho męski głos zza ich pleców. Mason odwrócił się gwałtownie, niemal przewracając o jedno z ciał.

W drzwiach stał i marszczył brwi podporucznik Michael D., korpulentny rekrut mający nie więcej niż dwadzieścia lat. Mason zapamiętał go ze spotkania załogi, które odbyło się dwa tygodnie wcześniej, gdy „Egipt” opuszczał port. Podporucznik miał teraz podkrążone oczy i smugę spalonej skóry na karku.

– Jestem pewien, że nie pozwolono wam szwendać się po korytarzach – stwierdził tak spokojnie, że Mason zaczął zastanawiać się, czy nie jest przypadkiem w szoku. – Jesteśmy na ostatnim roku – odpowiedział Mason. – Moja siostra... – Chciał powiedzieć, że teraz jego siostra jest kapitanem, a on zamierzał jej pomóc, gdyby zaszła taka potrzeba, ale musiałoby to zabrzmieć strasznie dla stojącego tuż obok Toma. – Potrzebujemy broni.

Podporucznik kiwnął głową i wszedł do zbrojowni, stąpając ostrożnie między ciałami. Mason na nie jeszcze nie spoglądał i nie miał takiego zamiaru. Michael podszedł do jednego z wciąż świecących się paneli i otworzył go szeroko.

– Może to – powiedział, wyciągając trzy strzelby fotonowe przypominające zabytkową broń z czasów, kiedy ludzkość posługiwała się prochem i nabojami. Plastikowe lufy lśniły, wirująca wewnątrz mieszanka zmieniała barwę od zieleni przez biel, błękit, do żółci. – Nieźle walą. Obiecajcie mi jednak, że jeśli je wam dam, schowacie się gdzieś i użyjecie tylko w samoobronie. Wkrótce powinniśmy się pozbyć tych Tremistów.

Głos miał słaby, pocił się. Na czarnej tkaninie widać było ciemne plamy pod pachami i wokół szyi. Mason miał nadzieję, że mówi prawdę, ale w okolicy nie widział nikogo, kto mógłby pomóc wcielić to w czyn. Byli zdani tylko na siebie.

– Obiecajcie mi – powtórzył Michael D.

– Obiecujemy – powiedział Tom. Kłamstwo przyszło mu tak łatwo, iż Mason zastanowił się, czy Tom nie ma lat praktyki.

– Dobrze. A teraz ukryjcie się. – Popatrzył na podłogę. – Muszę się tym zająć.

Mason wziął swoją strzelbę i wyszedł, kiwając głową podporucznikowi. Musiał znaleźć siostrę. Natychmiast. Tom i Merrin ruszyli za nim, aktywując swoje strzelby. Urządzenia przebudziły się z piskiem, po
czym ucichły. Mason czuł ciepło na dłoni. Spust był
wrażliwy i w zależności od siły nacisku generował
mniejszy lub większy ładunek energii. Kadet Stark zamierzał naciskać go najmocniej, jak potrafił.

W drodze mijali okna, ale widzieli przez nie tylko
czarną pustkę. „Sokół" Tremistów był po drugiej stronie. Mason szedł w kierunku mostka, ponieważ to było
najbardziej sensowne miejsce, gdzie mogła znajdować
się Susan. Merrin i Tom podążali za nim, nawet nie spy-
tali, dokąd ich prowadzi. W tej części okrętu panował
spokój, ale z dala dobiegały ich okrzyki i nieustanny
szum broni. Poczuł mocniejszy podmuch, który zmierz-
wił mu włosy; broń energetyczna zapewne przebiła się
przez pancerz „Egiptu", robiąc dziurę, przez którą będzie uciekało powietrze, dopóki automatyczny system
naprawczy jej nie załata. Jeszcze pierwszego dnia powiedziano im, aby nie panikowali, kiedy poczują niespodziewany, mocny podmuch.

W windzie Merrin podeszła bliżej.

– Powinnam iść pierwsza. Najlepiej radzę sobie ze
strzelbami – powiedziała. – W zeszłym roku wygrałam
zawody.

To była prawda, choć Mason zajął drugie miejsce,
mając zaledwie półtora punktu mniej, i uznał, że mają

podobny poziom umiejętności. Jednak nie spierał się – poprzedniej nocy nie spał dobrze, ponieważ David Schatz, kadet śpiący na pryczy nad nim, chrapał tak głośno, że burzył wodę w szklance stojącej na półce Masona. Stark chciał iść pierwszy, ale jeśli naprawdę była lepszym strzelcem, nie miało to sensu.

– Idziemy szybko – powiedział. – Kiedy tam dotrzemy, likwidujcie swoje cele najszybciej, jak potraficie. Nie wahajcie się. – Nie był to może genialny plan, ale Mason był w końcu tylko kadetem. Po prostu miał zamiar zająć mostek, korzystając z przewagi zaskoczenia.

– Martw się o siebie – odparł Tom.

Drzwi otwarły się na korytarz prowadzący na mostek, ten sam, po którym nie tak dawno temu ciągnęła go Susan. Pierwsze wejście na stanowisko dowodzenia znajdowało się zaledwie sześć metrów od nich, po lewej stronie. Zakręt był jednak zbyt ostry, aby tam zajrzeć. Mason wziął głęboki oddech, wytężył słuch. Na mostku rozbrzmiewał męski głos, ale zbyt cicho, by dało się rozróżnić słowa. Nie sposób było ocenić, ilu tam przebywa Tremistów, a ilu ludzi.

Merrin pierwsza znalazła się w korytarzu, lecz Mason trzymał się tuż za nią, szli prawie ramię w ramię. Dotarł do ściany naprzeciwko i przywarł do niej, po czym powolutku przesunął się w stronę drzwi.

Męski głos zapytał ponownie:

– Kto jest tu kapitanem?

– Ja – odparła Susan.

Mason zajrzał za róg... I zobaczył swoją siostrę z poobijaną twarzą, klęczącą wraz z kilkoma innymi oficerami, których wcześniej widział na mostku. Jedno z jej oczu, to, które nie było zapuchnięte, spojrzało na niego, kiedy zaglądał do środka. Smutek i porażka, jakie w nim zobaczył, wystarczały, aby odebrać zdecydowanie nawet najsilniejszemu żołnierzowi ZDK.

Ale nie to sprawiło, że krew zastygła mu w żyłach.

Wśród dużej grupy obcych, stojących z wycelowanymi pazurami, dostrzegł króla Tremistów we własnej osobie.

Rozdział 6

Jeśli chodzi o króla Tremistów, to Mason wiedział tylko, że nosi on długą czarną pelerynę, a zasłonę twarzy ma nie lustrzaną, lecz idealnie czarną. Patrzeć mu w twarz to jak zaglądać w czarną dziurę. Jego pancerz również nie był błyszczący i fioletowo-czarny, ale ciemnoczerwony, jakby został zanurzony we krwi i pozostawiony do wyschnięcia. Wizerunek władcy Tremistów znali wszyscy żołnierze, znali również polecenie: „Zabić!". Mówiono, że wszedł kiedyś na pokład SS „Italia" i zabił całą załogę gołymi rękami. Kiedy Mason był na pierwszym roku, starszy kadet powiedział mu, że król lubi zjadać surową ludzką skórę, bo dodawała mu siły, ale Mason jakoś w to nie wierzył. Ludzka skóra nie była zapewne bardziej odżywcza niż cokolwiek innego.

A teraz król był tutaj, z krwi i kości, albo z czegoś tam, co Tremiści mieli pod swoimi pancerzami. Mason schował się szybko, nim król go zobaczył.

– Co widzisz? – szepnął Tom niemal bezgłośnie. Kucali na korytarzu, nawet się nie kryjąc.

Mason pokręcił głową. Miał wybór: gdyby zabił króla, mógłby zmienić bieg całej wojny. To jak odcięcie głowy węża. Jednak przez te wszystkie lata bezskutecznie próbowali tego dokonać żołnierze lepsi od niego. Czy zaskoczenie wystarczy, aby wygrać? Zapewne reszta Tremistów natychmiast by go zabiła, ale czy to nie byłoby warte wyeliminowania króla?

W ZDK ciągle mówiło się o ofierze dla sprawy Ziemi, ale aż do tej pory nigdy nie zastanawiał się, co to tak naprawdę znaczy. Susan powiedziała mu kiedyś, że odwagę wykazuje się wtedy, kiedy chcesz się zlać w spodnie, a jednak mimo to nadal walczysz. Robisz to, co powinieneś, i nieważne, jak bardzo trzęsą ci się ręce.

Mason mógł tego dokonać. Mógł spróbować. Kiedy znów zerknął na mostek, zobaczył, że nikt się nie poruszył. Król stał odwrócony plecami, prezentując pelerynę.

Merrin i Tom wychylili się za róg ponad nim, toteż gdyby ktoś teraz na nich spojrzał, zobaczyłby trzy głowy ustawione jedna nad drugą. Kiedy się schowali, Merrin i Tom wyglądali jak posągi, gargulce z szeroko otwartymi oczami.

– Król! – poruszył ustami Tom.

– Plan jest taki – szepnął Mason – biegnijcie do naszej sali i zaprowadźcie pozostałych kadetów do wahadłowców.

– Nie idziesz z nami? – spytała Merrin nieco za głośno, po czym z równie głośnym plaśnięciem zatkała sobie usta dłonią.

Mason skrzywił się, ale nie słychać było odgłosów kroków kierujących się w ich stronę. Był wdzięczny za nieustanny szum i wibrowanie, charakterystyczne dla wszystkich jednostek ZDK po włączeniu silników.

– Nie ma sensu, abyśmy wszyscy mieli dać się złapać. – Nie dodał: „albo zabić".

Merrin pokręciła głową.

– Idziemy wszyscy albo wszyscy zostajemy.

Potem Mason usłyszał, jak na mostku ktoś powiedział:

– Kapitanie, dałem ci trzy minuty, aby się przyznać.

– Nie obchodzi mnie, ile czasu mi dałeś – odparła Susan.

– Powiedz mi, gdzie została przeniesiona broń. – Mason był pewien, że to był głos króla. Brzmiał zimno i z trzaskami, jak głos generowany przez komputer. Możliwe, prawdopodobnie maska pełniła też funkcję translatora. Dwie sekundy później do Masona dotarło, co Tremista tak naprawdę powiedział. Z tego jednego zdania płynął wniosek, że król szukał na pokładzie „Egiptu" jakiejś broni. Jakiej, o tym Mason nie miał pojęcia.

– Cmoknij antymaterię – powiedziała Susan.

– Jeśli zmusicie mnie do przeszukiwania, to rozproszę wasze atomy tak, jakbyście nigdy nie istnieli.

Tak umarli rodzice. Nie.

Mason zerwał się z miejsca, ale Merrin go złapała. Była silna, chwyt miała jak imadło.

– Czekaj – wysyczała mu do ucha.

– Nie wiem, o czym mówisz – powiedziała Susan do Tremisty.

Mason usłyszał odgłos uderzenia, a Susan jęknęła z bólu. Tak bardzo chciał się poruszyć, ale musiała na to nadejść odpowiednia chwila. Dowie się kiedy. Musi wiedzieć kiedy.

Mason powoli wychylił się i zobaczył, jak postać króla pochyla się nad jego siostrą. Tremista mówił po angielsku perfekcyjnie, z lekkim akcentem przypominającym brytyjski. Język Tremistów miał być gardłowy niczym niemiecki.

– Dobrze – odpowiedział król z rezygnacją w głosie. – Zapytam kolejnego kapitana, po twojej śmierci.

Mason patrzył, jak władca unosi swój pazur i mierzy w głowę Susan.

Rozdział 7

Mason nie zastanawiał się, co robi, działał jak automat. Wszedł na mostek i uniósł strzelbę. Nie myślał o innych Tremistach stojących za klęczącymi żołnierzami ZDK.

Oni się nie liczyli. Widział tylko króla.

Odpręż się, wdech, wyceluj.

Mason nacisnął spust, z broni wyleciała kula gorącego, żółtego światła, która uderzyła w środek królewskiej peleryny. Okrycie zaczęło się dymić. Król nawet się nie zachwiał, tylko powoli odwrócił głowę, aż Mason spojrzał w pustkę znajdującą się w miejscu twarzy. Nie widać było oczu, a jednak kadet czuł jego wzrok na swojej skórze.

Wystrzelił ponownie; tym razem przez mostek pomknęła trzaskająca wyładowaniami zielona kula. Król zrobił krok w bok i ładunek rozproszył się na kopule, nie czyniąc nikomu krzywdy.

– A to co? – spytał z rozbawieniem.

Opuścił pazur, a Susan krzyknęła:

– Mason, wiej!

Mason wystrzelił po raz trzeci, usiłując tym razem trafić w pierś. Król zdawał się dokładnie wiedzieć, kiedy chłopak wypali, i po prostu się odchylił. Kula przemknęła obok ramienia, niemal trafiając Tremistę stojącego dalej. Nim Mason zdołał wystrzelić ponownie, Merrin i Tom również oddali strzały. Oboje trafili władcę, ale on nie zwrócił na to uwagi. Jego czerwona zbroja zdawała się wypijać energię, jej resztki iskrami przebiegły po rękach i nogach, po czym zniknęły. Król Tremistów był wysoki – mierzył ponad dwa metry – lecz chudy, jak jeden z tych wielkich kotów niegdyś zamieszkujących dżungle Ziemi. Sięgnął do ramienia, chwycił płaszcz, po czym zerwał go z pleców i zamaszystym ruchem wysunął przed siebie. Kiedy kolejne dwie fotonowe kule uderzyły, płaszcz się zapalił.

– Brać ich! – zawołał król.

W drzwiach stanęli dwaj Tremiści, wyrwali broń Tomowi i Merrin, po czym pchnęli ich na podłogę.

Mason wystrzelił ponownie, a król znów się uchylił i podszedł o krok bliżej. Strzelba była teraz gorąca, więc chłopak czekał, pozwalając jej ostygnąć, aby następny strzał miał maksymalną moc. Czuł w dłoniach wibrowanie. Już! Prawie!

– To chyba coś, co uchodzi za żołnierza Ziemskiego Dowództwa Kosmicznego – zauważył król, stawiając następny krok. Zaczął odwracać głowę w stronę Merrin i Toma, którzy usiłowali się podnieść, choć na plecach każdego z nich opierała się noga Tremisty.

Mason wystrzelił ostatni raz...

I trafił króla dokładnie między oczy, a przynajmniej tam, gdzie trafiłby człowieka. Czarny owal pochłonął całą kulę, bez jednej iskierki czy płomienia. Wydawało się, że ten, podobnie jak poprzednie strzały, nie zadał żadnych obrażeń. Zbroja była nadal głodna. A potem król znalazł się nagle za plecami kadeta, przekręcił strzelbę w jego dłoniach i zgniótł. Z broni uniosła się mała kulka niebiesko-zielonego światła, które pozostawiło powidok w oczach Masona. Pokój wypełnił swąd spalonego pancerza, podobny do zapachu gorącego, topiącego się plastiku i rozgrzanego metalu. Tremista chwycił Masona za ramię i wbił w nie palce, aż rękę chłopca przeszyły igły bólu.

Obok ucha poczuł gorący wylot pazura.

– Kapitanie – powiedział gładko król zza jego pleców – proszę mi powiedzieć, gdzie jest broń, inaczej będzie pani odpowiadać za śmierć tego młodego kadeta. Ma pani trzy sekundy.

– Jest w głównej ładowni – odparła natychmiast Susan. – Mogę cię tam zaprowadzić.

Dolna warga nieco jej drżała, lecz potem twarz zmieniła się w twardą maskę. Z kącika oka spłynęła łza, jedyna, jaką Mason widział u siostry od czasu ceremonii ku pamięci ofiar Pierwszego Ataku. Chłopak chciał umrzeć. Nieważne, czym była broń, Susan powiedziała o niej królowi tylko dlatego, że jej brat był na tyle głupi, by dać się złapać. Wina za to spoczywała na nim. Usiłował sobie wyobrazić, czym jest ta broń, ale to było jak próba zgadnięcia, ile gwiazd mieści się w kwadrancie. Bezcelowe. Jednak sam fakt jej istnienia przyprawiał go o chłód. Była na tyle ważna, by król Tremistów jej pragnął, pojawił się tutaj. Była na tyle ważna dla Susan, aby o niej nie mówić. Była na tyle ważna, aby mówić o niej tylko jako o „broni", zamiast podawać właściwą nazwę.

A teraz Susan mu ją wręczała. Mason nie mógł na to pozwolić, bez względu na wszystko.

Wszyscy patrzyli na króla, Mason wyrwał się z uścisku i też spojrzał na jego twarz. Spodziewał się, że zobaczy na masce jakieś uszkodzenia, ślad spalenizny albo dymu, ale niczego takiego nie było. Nie wiedział nawet, czy była to czarna powierzchnia, czy tylko dziura. Chłopak spodziewał się, że król chwyci go znów, ale on nie zwracał na niego uwagi.

Patrzył na Merrin Solace.

Jakby ją znał.

– Nie do wiary – stwierdził.

Rozdział 8

– Podnieście ją – rozkazał król.

Tremiści wykonali polecenie, ale trzymali się blisko. Merrin otrzepała się i spojrzała na króla, a w jej fioletowych oczach błyszczał gniew. Wyglądała tak, jakby w ogóle się nie bała, tylko była wściekła. Ramiona jednak miała pochylone, a Mason wiedział dlaczego: mając za sobą tak blisko nie jednego, ale dwóch Tremistów... Wyobraził sobie, że stojący najbliżej zrywa swoją lustrzaną maskę i zatapia usta pełne ostrych kłów w karku dziewczyny.

– Podaj swoje imię – polecił władca.

– Merrin Solace, a twoje? – mówiła spokojnie, lecz słychać było drżenie w jej głosie. Mason wiedział, że brało się ono nie ze strachu, tylko adrenaliny.

Podczas zajęć z walki wręcz jeden z kadetów wziął jej łzy frustracji za łzy strachu i przy całym roku zaczął wołać: „Merrin Solace to beksa! Ghul się boi!". Ghul to było jej przezwisko nadane z powodu niemal przezroczystej skóry. Merrin poprosiła, aby przez resztę dnia ćwiczyli razem. Pod koniec chłopak bardzo tego żałował.

Król wypuścił powietrze; poprzez maskę brzmiało to chrapliwie.

– Czy ktoś mógłby mi pomóc wstać? – spytał Tom.

Król powiedział do stojącego za dziewczyną Tremisty:
– Zaprowadźcie ją do mojej kajuty. Postawcie trzech strażników. Wykonać.

Merrin opadła szczęka. Jej oczy spoczęły na Masonie, rozszerzyły się, niemal zaczęła wołać o pomoc. Mason widział, jak się do tego przygotowuje, słowo zaczęło już formować się na jej wargach, z gardła wymknął się krótki dźwięk, ucięty jednak zamknięciem ust. Dwaj Tremiści pociągnęli ją do tyłu, w stronę drzwi. Mason prawie zawołał „nie" i niemal rzucił się naprzód, lecz przełknął to słowo i stał bez ruchu. Szkolenie kazało mu pozostać na miejscu, nawet jeśli ciało rwało się do walki. Dać się zabić teraz było głupotą, jeśli tylko miał cień szansy, że pomoże Merrin i reszcie załogi później. Dlaczego, na galaktykę, król chciał mieć ją nie tylko na swoim okręcie, ale i w swojej kajucie?

– Doprawdy chciałbym móc się podnieść – powtórzył Tom.

– Kapitanie, zaprowadź moich ludzi do broni – rzekł król do Susan i poklepał Masona po ramieniu – albo on umrze pierwszy.

Król podniósł leżący na podłodze płaszcz i przymocował do ramion, choć widniała w nim duża dziura. „Moich ludzi" – tak powiedział. „Zaprowadź moich ludzi". Oni nie byli żadnymi ludźmi. Na samą myśl Mason chciał splunąć na podłogę. Ludzie nie grozili nieuzbrojonym jeńcom.

– Tak jest – powiedziała Susan, kiedy Tremista stawiał ją na nogi.

Tom, upewniwszy się, że nikt mu nie wbije w plecy buta, również wstał.

Susan zeszła z mostka ze swoją eskortą tuż za Merrin, ale wcześniej jej oczy po raz ostatni spotkały się z oczami Masona. „Nie rób niczego głupszego niż to, co już narobiłeś".

Król ominął Masona i uklęknął przed Tomem tak, aby ich twarze znalazły się na mniej więcej tym samym poziomie. Położył pazur na posadzce, odwracając się plecami do Masona. Najwyraźniej nie uważał go za zagrożenie.

– A ty musisz być synem poprzedniego dowódcy. Żałuję, że zginęła, zanim dała mi kody dostępu do głównego komputera „Egiptu". Pomożesz mi z tym.

Poklepał Toma po ramionach i ścisnął.

– I nie zmuszaj mnie, abym zrobił ci krzywdę. I oszczędź sobie zaprzeczania, wiem, że cała załoga posiada prawo dostępu w nagłym przypadku.

Jego głos był doskonale uprzejmy. Jakby pytał Toma, jak obsługuje się jeden z podgrzewaczy w barze. Żołnierska część Masona, część, co do której miał nadzieję, że będzie rosnąć wraz z nim, myślała taktycznie. Skoro trzej Tremiści odeszli z jego siostrą do ładowni, a dwaj eskortowali Merrin, to na mostku pozostało dwóch obcych i król. Gdyby udało się podnieść królewski pazur i strzelić... Może pazur zdoła przebić się przez zbroję, skoro strzelby nie dawały rady.

– Pomogę ci – powiedział Tom. – Ale najpierw musisz iść do diabła.

Król roześmiał się, ale przez maskę brzmiało to jak kaszel.

– Bardzo dobrze, bardzo dobrze. Jesteś dzielnym żołnierzem.

Mason przysunął się nieco bliżej. Pazur leżał obok kolana króla. Czy będzie wystarczająco szybki? Czy to było właściwe posunięcie? Usiłował wyobrazić sobie, co zrobiłaby Susan. Odwaga to jedno, ale podejmowanie decyzji, która narażała innych, to coś zupełnie innego. Susan również potrzebowała jego pomocy, ale miała szansę, że lepiej zajmie się sobą sama. I kazałaby mu najpierw uratować Merrin, ponieważ taka była.

Tom nie śmiał się wraz z królem.

– Zabiłeś moją matkę.

Król pokiwał głową.

– Zabiłem wiele matek.

Pazur wciąż leżał na podłodze. Najdalej dwa metry od Masona. Chłopak wyobrażał sobie, co zrobi. Jeden duży krok, chwycić pazur obiema rękami, cofnąć się, nim król zdoła się odwrócić, i go odebrać. Będzie musiał wymierzyć w króla i nacisnąć odpowiedni przycisk, mając nadzieję, że broń nie została dopasowana do konkretnego posiadacza, jak to było z niektórymi egzemplarzami broni ZDK. Wtedy oddanie strzału mogło położyć Masona trupem na miejscu.

Nagle chłopak przypomniał sobie, co powiedział król: w wypadku wejścia Tremistów na pokład system udostępniany jest całej załodze. Zwykle Mason nie miałby dostępu do jakichkolwiek systemów okrętu, ale teraz prawdopodobnie to się zmieniło. Kapitan Renner pewnie uaktywniła tę funkcję od razu, a jeśli nie, to Elizabeth była tak zaprogramowana, że w przypadku uznania poziomu zagrożenia za odpowiednio wysoki mogła włączyć ją sama. Mason pomyślał, że bardziej niebezpiecznie już być nie mogło.

Nadeszła odpowiednia chwila. Król sam wskazał im drogę ucieczki.

– Komputer – powiedział Mason.

Rozległ się trzask, po czym Elizabeth odezwała się:

– Tak, kadecie Stark?

Król spojrzał leniwie przez ramię, niczym lew rozbawiony, że jego ofiara podeszła na tyle blisko, aby stanowić łatwą zdobycz.

– Wyłączyć światła – powiedział Mason.

Mostek pogrążył się w ciemności. Gwiazdy nagle pojaśniały, ożywiły się, przemieszane z fioletowo-czerwonymi smugami starej mgławicy. Konsole nadal świeciły, ale poza tym wszystko skrył mrok, dopóki powietrza nie wypełniły krzyżujące się   zielone promienie wystrzelone z wielu pazurów.

– Szyb! – krzyknął Tom do Masona.

Chłopak już biegł w tamtą stronę. Każde pomieszczenie na pokładzie „Egiptu" miało dwa wejścia, na wypadek konieczności odcięcia niektórych poziomów czy pomieszczeń. Gdyby korytarz za mostkiem był uszkodzony i załoga nie mogła tamtędy uciec, szyb na mostku pozwalał im opaść na poziom, który nadal był zabezpieczony.

– Łapać ich! – warknął w ciemnościach król. Mason usłyszał furkotanie jego peleryny, wyobraził sobie twarde jak stal palce znów wbijające się w jego ramię. Szyb znajdował się obok wejścia. Mason usiłował zwizualizować sobie pomieszczenie jasno oświetlone, ale czuł się zdezorientowany, niemal oszołomiony uderzeniem adrenaliny. A teraz musiał pokonać tę drogę w ciemności, otoczony przez wrogów.

– Elizabeth, otwórz szyb! – krzyknął, biegnąc w stronę, miał nadzieję, właściwą.

W podłodze pojawił się wypełniony światłem otwór, Mason wskoczył weń głową naprzód. Usłyszał, jak Tom wpada do rury za nim i wykrzykuje jakiś rozkaz dla Elizabeth. Szyb opadał poziom niżej, po czym zakręcał i wyrzucił ich na jednym z wielu korytarzy łączących oba walce. Wyślizgnęli się z niego prosto na ruchomy chodnik, taki jak ten przed kwaterą kadetów. Spotkanie z podłożem nie było przyjemne. Mason wywinął kozła, kiedy chodnik poruszył się pod nim, chłopak miał wrażenie, jakby zeskoczył z jadącego pociągu. Kilka kroków za nim Tom wylądował jeszcze bardziej twardo. Mason słyszał, jak uszło z niego powietrze, a kiedy się obejrzał, Tom leżał na plecach, wymachując rękami i nogami jak przewrócony żółw. Kiedy Stark oprzytomniał, zorientował się, że chodnik jedzie w stronę części inżynieryjnej, tam, gdzie znajdowały się Merrin i Susan. Doskonale.

– Zamknęło się za nami? – spytał ledwo słyszalnym szeptem. Wstał i chwycił poręcz poruszającą się wraz z chodnikiem, w uszach słyszał szum powietrza, później zaś złapał Toma za rękę, aby go podnieść.

Tom uśmiechał się szeroko.

– Na górze nie. Ale poprosiłem Elizabeth, aby zamknęła właz dolny, zatem każdy, kto wejdzie za nami, zostanie uwięziony w rurze.

Mason również się uśmiechnął. Okna mijali zbyt szybko, aby można było coś za nimi dostrzec, ale zbliżali się do miejsca, gdzie chodnik zwalniał tak, że mogli wbiec na poziom inżynieryjny.

– Musimy pojechać z powrotem do kwater – powiedział Tom, wskazując głową chodnik jadący w przeciwną stronę. – Mama powiedziała mi, że gdyby cokolwiek się stało – przełknął ślinę – z nią albo z załogą... Gdyby coś się stało, moim zadaniem jest bezpiecznie sprowadzić kadetów z okrętu.

Gdyby coś się stało. Czy było to tylko zabezpieczenie, czy spodziewała się, że coś może się zdarzyć? Mason nie powiedział: „Ale twoja matka nie jest już kapitanem".

– Nic im nie będzie – odparł Mason.

– Nieważne, że nic im nie jest. Dalej są na okręcie, więc niedługo może się to zmienić. Poza tym, skąd możesz to wiedzieć, skoro tak naprawdę nie masz pojęcia, co jeszcze się wydarzy?

Chodnik zaczął zwalniać.

– Nie mam. Ale nie mogę pozwolić, aby moja siostra przekazała im broń. To jest najważniejsze. I ty też o tym wiesz.

– O czym mówił król? – spytał Tom. – O jakiej broni? „Egipt" jest okrętem dyplomatycznym łączącym rywalizujące ze sobą bazy ZDK. Na jego pokładzie nie mogło znaleźć się coś takiego jak broń.

– Zatem nie wiesz wszystkiego, tak? – Mason nie mógł powstrzymać uśmiechu.

Tom nic nie powiedział, tylko uniósł brew.

– Wiesz, co jest ważniejsze – powiedział Mason. – Myśl logicznie, jesteś w tym dobry. Idziemy po broń.

Chodnik zwolnił, więc mogli go opuścić niedaleko głównego wejścia do części inżynieryjnej. Drzwi były wysokości całego poziomu, prawie trzy metry, i ich otwieranie byłoby zbyt głośne. Mason podszedł do portu przejścia technicznego, przez który mieliby dostęp do wąskich kanałów w ścianach; inżynierowie posługiwali się nimi, by pracować przy trudno dostępnym sprzęcie.

– A jeśli odmówię? – spytał Tom. – Albo sam wrócę do reszty?

Mason zastanawiał się, co powinien teraz odpowiedzieć. Po sześciu latach prób manipulacji na instruktorach wiedział, że w delikatny sposób można osiągnąć więcej. Dlatego rzekł:

– Nie zrobię tego bez ciebie. – Chciał odwołać się do dumy Toma.

Chłopak wziął głęboki oddech.

– Zatem rozumiem, że nie mogę pozwolić ci dać się zabić.

Mason skinął głową w podzięce, uśmiechając się w duchu. Stellan powiedział mu, aby używał słów, i tak się właśnie stało; to było bardziej skuteczne niż przemoc. Choć ZDK w szkoleniu kadetów rzadko się do tego odwoływało.

Tom uklęknął przy ścianie i otworzył port swoim multitoolem, cienką metalową różdżką z końcówką, którą przy odrobinie wprawy można było dowolnie ukształtować. „Manipulacja molekularna w praktyce" nie była najbardziej popularnymi zajęciami w Jedynce.

– Dokąd chcesz iść? – spytał, kiedy już znaleźli się w ciemnym tunelu. Pachniało tu rozgrzaną elektroniką. Znajdując się tak blisko pancerza „Egiptu", Mason czuł, jak ciepło walczy z chłodem kosmosu.

– Nie wiem. Musimy mieć plan.

– Poszedłem za tobą tylko dlatego, iż sądziłem, że masz plan.

– Możesz zrobić, co chcesz. Nie mogę siedzieć spokojnie, kiedy Tremiści zabierają nam „Egipt". Twoja mama chybaby się ze mną zgodziła.

Przez dwie sekundy Tom milczał.

– Nie mów mi, co moja mama by zrobiła. Po prostu... nie mów.

Nie odezwał się więcej, ale jasne było, że szwendanie się bez celu uważał za głupotę. Może tak i było. Masonowi najbardziej zależało na odzyskaniu Merrin. Mieli umowę, którą zawarli, kiedy byli na pierwszym roku. Jeśli jedno z nich zostanie wzięte do niewoli, drugie bez względu na wszystko ruszy mu na pomoc. Przypieczętowali układ bardzo formalnym uściskiem dłoni, a potem Mason zapomniał o tym na długo. Zakładał, że nie natkną się na Tremistów przez wiele lat, nawet kiedy nie będą już kadetami. Z czasem uznał ten pomysł za śmieszny i naiwny – w końcu znajdowali się na pokładzie okrętu wojennego w czasie wojny, a wcześniej przebywali na wielu innych.

Teraz ich umowa odżyła w jego umyśle niczym płomień. Bez dwóch zdań Merrin była teraz jeńcem wojennym. Mason zamierzał to zmienić.

Tunel doprowadził ich do małych drzwi, które Mason otworzył od środka. Uchylił je nieco i wyjrzał przez szczelinę. Widział stąd kawałek pokładu inżynieryjnego, zapewne na piątym poziomie. Trafili na jedną z platform opasujących pierścieniem kompleks wysokich na dziesięć poziomów, ustawionych pionowo rur, przez które pompowano chłodziwo i wodę. Poręcze chroniły przed przypadkowym wypadnięciem, ale nie uniemożliwiały zeskoczenia z pomostu z własnej woli. Mason nie wiedział, gdzie platformy się kończą, nigdy nie był na samym dnie okrętu.

Ostrożnie otworzył drzwi szerzej, zawias zaskrzypiał. Zapewne nie oliwiono go od czasu, kiedy wiele lat temu „Egipt" opuścił stocznię. Dźwięk był wystarczająco głośny, aby Tremista pełniący straż na platformie się odwrócił.

Rozdział 9

Mason nie wahał się. Jego szkolenie nie zostało jeszcze zakończone, ale jedną z pierwszych rzeczy, jaką robiono w Jedynce, było wykorzenienie z kadetów instynktu zamierania w bezruchu. Wyskoczył z tunelu, kiedy Tremista jeszcze się odwracał. Mason nie był mały jak na swój wiek, ale obcy mierzył prawie dwa metry. To oznaczało, że jego środek ciężkości znajdował się wyżej niż u chłopca. Mason w pełnym rozpędzie wpadł na nogi obcego. Nie wiedział, co właściwie chce osiągnąć, wiedział tylko, że nie może dać wrogowi czasu na wycelowanie z pazura, bo to mogło szybko zakończyć całą sprawę. Tremista cofnął się chwiejnie, wymachując rękami, ale nie zdołał odzyskać równowagi. Poleciał do tyłu i uderzył głową o barierkę na tyle mocno, że metalowy pręt wpadł w wibracje. Zwalił się na podłogę i znieruchomiał.

– Zabiłeś go? – spytał Tom z szeroko otwartymi oczami. Nie wiadomo było, czy się z tego cieszy, czy jest przerażony. Mason czuł tak samo; uczucie zwycięstwa i uścisk smutku po zrobieniu czegoś, czego nie zdoła się już odwrócić.

Mason szybko rozejrzał się, byli sami. Poziom oświetlało pomarańczowe światło, odbijające się w gąszczu rur przed nimi. Uklęknął obok Tremisty i pomacał jego szyję w poszukiwaniu pulsu, zastanawiając się, czy będzie on w tym samym miejscu co u człowieka. Przez kombinezon niczego nie poczuł, dlatego chwycił za dolną część maski obcego.

– Czekaj! – powiedział Tom.

– Czemu?

– Nie wiem. Naprawdę chcesz ściągnąć mu maskę?

– A nie powinienem?

– A jeśli jest zabezpieczona pułapką? Może cię porazić prądem, wypuścić trujący gaz albo coś takiego.

Mason bardzo starał się zignorować obrazy, jakie na te słowa podsuwała mu wyobraźnia.

– Jest tylko jeden sposób, aby się o tym przekonać.

– To głupie rozumowanie, nawet jak na ciebie.

– Może. – Mason nie przejął się uwagą i tak miał szczęście, że Tom nie zostawił go na skrzyżowaniu. – Ale musimy sprawdzić, czy żyje. Masz jakiś lepszy pomysł, jak się tego dowiedzieć?

Tom nie odpowiedział. Serce Masona waliło jak młot. Oczywiście, mówiło się, że pod zbroją Tremiści są jaszczurami, bladymi duchami wypełniającymi kombinezony ektoplazmą albo nawet zcyborgizowanymi potomkami jakiejś dawno wymarłej rasy. Któryś z kadetów powiedział mu kiedyś drżącym głosem, iż naukowcy ZDK odkryli, że zęby Tremistów mają długość palca wskazującego i są puste w środku, tam znajduje się trucizna, która sprawia, że zaczyna się sikać, zanim płuca wypełnią się krwią. Trudno ocenić, które rozwiązanie było najgorsze: jaszczury, duchy czy cyborgi. Niektórzy żołnierze nazywali je „kosmicznymi wampirami", ale nie wiadomo, czy mówili tak, by nastraszyć kadetów, czy Tremiści rzeczywiście pili krew.

– Jest tylko jeden sposób, aby to sprawdzić – powiedział do siebie Mason.

Ściągnął maskę.

Oddech uwiązł mu w gardle. Nie wierzył.

Kucający obok Tom westchnął i wykrztusił:

– Jak...?

Tremiści nie różnili się tak bardzo od ludzi. W rzeczywistości twarz, którą zobaczył Mason, była całkiem znajoma. Nie pozwolił sobie na ulgę, to mogła być jakaś sztuczka, zewnętrzna warstwa skóry skrywająca pod spodem potwora.

Tremista był wychudzony, miał zapadłe policzki, skóra jakby została naciągnięta na czaszkę. Jednak to nadal była ludzka twarz. Miał oczy, nos, usta. Miał też fioletowe włosy, bardzo bladą skórę. Kiedy Mason podniósł kciukiem powiekę, zobaczył, że oczy są takiego samego koloru co włosy. Fioletowe, fioletowo-czerwone, zależnie od tego, jak chciało się je nazwać.

Mason przyłożył dłoń do ust Tremisty i poczuł na niej wilgotny oddech. Ostrożnie dotknął skóry, wyczuwając pod nią kości czaszki, mocne czoło, policzki. Wstrzymał oddech i dotknął dolnej wargi. Odciągnął ją nieco. Pod spodem znajdował się zwykły ząb. Tylko ząb. Nie był nawet ostry.

„To jakaś sztuczka!" – wołała wyszkolona część umysłu. „Nie wolno opuszczać jeszcze gardy". Jednakże z każdą sekundą chłopak coraz bardziej nabierał przekonania, że biologia tych obcych nie odbiega zbytnio od ludzkiej. Skoro miał kości, skórę i krew, można go zabić.

– Żyje – powiedział, czując się nieco lepiej. Zabijanie Tremistów, kiedy wyobrażało się ich sobie jako potwory, to jedno, ale kiedy okazało się, że mają oczy, uszy i nosy... byli zbyt podobni do ludzi.

– Czy widzisz to co ja? – spytał Tom.

Mason wiedział, o czym Tom mówi, też TO zauważył, jednak chciał zignorować. Myśl, która uparcie kołatała się w jego głowie, sprawiała, że żołądek mu się zaciskał.

Fioletowe włosy i oczy, na wpół przezroczysta skóra.

– Merrin – powiedział Mason wstrząśnięty.

– To niemożliwe – odparł Tom. – Rodzina Solace jest dobrze znana. Jej matka to dowódca ZDK, a ojciec jest szefem Agencji Kontroli Chorób na Ziemi i Marsie. Powstrzymał tam zarazę, ocalił miliony ludzi.

– Nie mówię, że w to wierzę. To może być przypadek. – Mason czuł, że jego słowa są puste. W ustach miał dziwny smak. Ogarnęła go przemożna chęć, aby poszukać sobie jakiejś kryjówki.

– Popatrz. – Tom wskazał na twarz Tremisty.

Blada skóra była taka sama jak u Merrin, usiana fioletowymi żyłkami. Mason przez wiele lat zastanawiał się, dlaczego przyjaciółka ma taką skórę, lecz nie pytał, a Merrin sama nigdy nie mówiła. Z powodu braku kontaktu ze słońcem wielu kadetów było wyjątkowo bladych. Zawsze zakładał, że dziewczyna farbuje sobie włosy – na Ziemi robiło tak wiele osób, ZDK zaś nie miało nic przeciwko, uważając, że indywidualizm to zaleta żołnierza.

A jeśli Merrin naprawdę była Tremistką, co to znaczyło? I czy miało jakiekolwiek znaczenie? „Nie. Znasz ją" – pomyślał Mason.

Tom kopnął w kładkę, która cicho zadzwoniła. Mason nie krzyknął na niego, że hałasuje, ponieważ zbyt był zajęty rozmyślaniem nad innymi wyjaśnieniami.

– To może być sztuczka Tremistów. Słyszałem, że potrafią zmieniać kształty.

– A ja słyszałem, że czarują – wymamrotał Tom. – Nie można ufać plotkom.

Mason nie odpowiedział. Król rozpoznał Merrin, to było jasne. Ale być może nie rozpoznał jej, tylko to, że była przedstawicielką jego rasy. Kolor jej włosów i oczu nie mógł być przypadkiem. Nie farbowała włosów i nie zmieniała sobie koloru oczu, aby upodobnić się do Tremisty – żaden członek ZDK nie wiedział, jak naprawdę wyglądają.

– Nie wiem, czy powinniśmy to robić – powiedział Tom jakby do siebie. – Myślę, że najbardziej sensowne będzie znaleźć jakiś wahadłowiec i uciec na „Olimp". Spróbujemy ściągnąć tu flotę.

– A co z kadetami?

Tom parsknął.

– Bądź mądry. Jakie szanse ma pojedynczy „Sokół" wobec naszej potęgi? Dopóki Elizabeth utrzymuje ich z dala od rdzenia, „Egipt" pozostanie w tym miejscu. Mogę nawet przed wyruszeniem podać koordynaty.

Miał rację, powinni próbować ucieczki. Ale Mason nigdzie się nie ruszał. Nie dlatego, że nie chciał, ale

dlatego, że gdyby odlecieli, możliwe, że po „Egipcie"
i jego załodze zaginąłby wszelki ślad.

Mason wyprostował się.

– To żadne wyjście. Flota musi się najpierw zebrać.
Na „Olimpie" może nawet nie być żadnych okrętów.
Nie możemy ryzykować, że w międzyczasie stracimy
„Egipt". Możesz iść, ale ja zostaję.

– Nie jestem tchórzem – powiedział Tom. – A na
„Olimpie" zawsze są okręty. Przynajmniej dwa.

Mason tylko pokiwał głową. ZDK potrafiło być zbyt
ostrożne. Jeśli nie dysponowało odpowiednią liczbą jednostek, mogło zadecydować o niewysyłaniu ich w ogóle.

– A co z nim? – spytał Tom, wskazując na Tremistę
stopą.

Mason przyjrzał się pancerzowi obcego, szacując
jego rozmiar i kształt, po czym przyszedł mu do głowy
pewien pomysł.

– Wykorzystamy go – powiedział.

* * *

Tom nie miał problemu z wykorzystaniem Tremisty
do momentu, kiedy Mason powiedział mu, co ma na
myśli.

– Nie, nie, nie. Nie. Zwariowałeś. A jeśli się ocknie?

Tremista nadal był nieprzytomny, oddychał miarowo.

– Wyceluj w niego swoją spluwę – powiedział Mason – tylko nie zastrzel mnie przez przypadek.

– Co? Nie mam spluwy. Zabrali mi.

Mason zmusił się, aby mówić cicho.

– No to użyj pazura!

Tom podniósł broń i przyjrzał się jej uważnie.

Mason zaczął zdejmować zbroję z Tremisty. Czuł się trochę tak, jakby uwalniał z pułapki rannego tygrysa: obcy mógł się ocknąć w każdej chwili, chwycić Masona i przerzucić przez barierkę.

Pancerz odchodził kawałkami. Osłony rąk i nóg łączyły się z osłoną piersi. W dotyku metal wydawał się zimny i solidny, wcale nienatłuszczony. Jego powierzchnia zmieniała barwę od fioletu do czerni. Tom wycelował pazur w twarz Tremisty, trząsł się, usta zacisnął w wąską kreskę.

– Pospiesz się – wyszeptał.

Jedna ręka i noga były już odsłonięte. Pod spodem Tremista nosił cieńszy kombinezon z rozciągliwego materiału. Mason trudził się nad drugą nogą, nie spuszczając oka z twarzy żołnierza, wypatrując na niej jakiegoś poruszenia.

– Myślisz, że dobrze robimy? – spytał Tom, podczas gdy Mason przewrócił Tremistę na brzuch, aby zdjąć osłonę pleców. Był zaskoczony, że Renner w ogóle go pyta, zamiast sprzeciwić się wprost.

– Myślę, że ktoś musi sprawdzić, co się dzieje – powiedział z większą pewnością, niż w rzeczywistości czuł.

– I to musi być kadet ostatniego roku... – zauważył Tom.

– Nie jest za późno, aby znaleźć wahadłowiec.

Te słowa uciszyły Toma.

Kiedy Tremista został już rozebrany z pancerza, Mason chwycił go za nogi i zaciągnął do tunelu, którym przyszli. Tom cały czas mierzył do obcego z pazura, dopóki Stark nie skończył upychać nieprzytomnego w wąskiej przestrzeni. Następnie Tom przy pomocy małego panelu wbudowanego w ścianę zamknął drzwi i zatrzasnął zamki na pierwszej grodzi, która dawała się zamknąć. Kiedy Tremista się ocknie, będzie uwięziony w ciemnym tunelu.

– Czy może stamtąd uszkodzić okręt? – spytał Mason, usiłując założyć osłony nóg. Wiedział, że zbroja jest na niego za duża, ale teraz martwił się, że będzie to aż za bardzo widoczne.

Tom przywołał schemat tuneli.

– Może, ale to nie będzie nic istotnego. Tam nie ma bezpośredniego dostępu do komputera. I chyba nie ma też dostępu do systemów podtrzymywania życia.

– Chyba?!

– Chyba – powtórzył Tom.

Przyglądał się walczącemu ze zbroją koledze. Napierśnik był zbyt duży i śmiesznie zwisał. Mason już zamierzał zedrzeć to wszystko z siebie, kiedy pancerz zaczął się wokół niego zaciskać. Stęknął przerażony, że to mechanizm obronny mający zmiażdżyć każdego poza właścicielem, jednak nagle zbroja przestała zmieniać wielkość. Teraz obejmowała chłopca delikatnie, idealnie dopasowana do mniejszej sylwetki. To dlatego każdy pancerz Tremistów wyglądał jak robiony na miarę. Mason nadal był mały jak na kosmitę, ale przypomniał sobie, że na mostku widział jednego o podobnym wzroście. Dopóki nie zacznie zwracać na siebie uwagi, to mogło zadziałać. Taką miał nadzieję. Na końcu Mason założył hełm, wyczuwając w nim delikatną pozostałość zapachu włosów Tremisty. Ta część umundurowania też zaczęła się dopasowywać i materiał, który – mimo wszelkich podobieństw – wyraźnie nie był metalem, kurczył się, aż osiągnął odpowiedni rozmiar.

Otworzył oczy i spojrzał przez lustrzaną maskę... i zobaczył, jak migocząc, uruchamia się wyświetlacz, taki sam jak na powierzchni kopuły mostka. W prawym dolnym rogu zaczęły się przewijać dziwne symbole, kilka z nich pulsowało między dwoma lub trzema takimi samymi znaczkami. Zapewne były to parametry sił życiowych Masona. Postać Toma była podświetlona, obok niej pojawiło się małe okienko z większą ilością znaków, jakich Mason nigdy przedtem nie widział. ZDK miało trochę topornych tłumaczeń kilku napisów znalezionych wewnątrz zdobytego „Sokoła", ale język Tremistów w większości pozostawał nieznany.

– Co widzisz? – spytał Tom, unosząc brew.

– Wyświetlacz.

W prawym górnym rogu co sekundę migotał okrąg, ukazując położenie wielu białych i fioletowych punkcików. Domyślił się, że fioletowe oznaczają Tremistów, a białe ludzi, ale nie mógł być tego pewien. Z przodu niewielkie okienko ze strzałką wskazywało na oddaloną część „Egiptu", gdzie – jak Mason wiedział – znajduje się okręt obcych. Mógł widzieć przez ściany, jakby ktoś odpalił flarę. Świetnie.

Kiedy spojrzał na swój pas, wyświetlacz pokazał mu przytroczone do niego granaty, dwa różne rodzaje po trzy sztuki. Mogą się przydać, zwłaszcza że zorientował się, czym były. Na pewno nie były to granaty odłamkowe: nikt nie używał ich w zamkniętych pomieszczeniach, gdzie panowało ciśnienie.

– Nie mogę pójść z tobą – powiedział Tom. – To zrozumiałe.

Mason pokiwał głową.

– Wiem. Dzięki za pomoc. Wiem, że nie zawsze się dogadywaliśmy.

Tom pokręcił głową.

– Nie zgadzam się z tym.

Mason wyciągnął rękę. Tom uścisnął ją szybko, choć nie spoglądał wprost w lustro na twarzy Starka.

– Mam nadzieję, że... – zaczął.

– Ja też mam taką nadzieję – dodał Mason, ale maska ukryła delikatny uśmiech.

– Tylko nie daj się zabić – dorzucił Tom.

– Masz jeszcze jakieś dobre rady?

Renner prawie się roześmiał, Mason również, to było miłe. Żaden z nich nie uśmiechnął się od dawna, a chłopak pomyślał, że może minąć jeszcze dużo czasu, zanim znów razem się zaśmieją.

– Masz plan? – spytał Mason.

– Bezpiecznie dotrzeć do reszty. A potem nie wiem. To zależy od tego, w jakim stanie jest część dokowa. Jeśli uda nam się dojść do wahadłowców... – Spojrzał na podłogę.

Masonowi gardło ścisnęło się, ale powiedział:

– Nie wahaj się. Jeśli będzie potrzeba, znajdę jakiś sposób na to, by stąd odlecieć.

– Wiem. Przepraszam za tę wargę.

Mason już zapomniał o ciosie, jaki Tom wymierzył mu po numerze z magnesem. To był mocny prosty. Nie rozmawiali o tym, od kiedy Jeremy ich rozdzielił.

– A ja za oko – odparł Mason. I Tom Renner, syn nieżyjącej kapitan Joy Renner, zniknął w tunelu, zamykając za sobą drzwi.

Mason, korzystając z możliwości hełmu, pozwolił sobie porozglądać się po okręcie. W rogu świeciły białe i fioletowe kropki. Wyprostował palce i zapragnął, aby to wszystko odeszło, żałował, że nie jest teraz na sali z siostrą i nie uczy się nowego chwytu albo że nie jest chociażby w szkole, zgłębiając wiedzę o Rewolucji Marsjańskiej. Kiedy jego życzenia się nie spełniły, ruszył w stronę białych i fioletowych kropek, zatrzymując się tylko, aby zabrać pazur.

Rozdział 10

Kropki poprowadziły Masona przez długi na wiele setek metrów pokład inżynieryjny, obok labiryntów rur drążących „Egipt" niczym korzenie drzew ziemię w lesie. Nie mógł nie myśleć o tym, że skoro on może widzieć kropki, to one również widzą jego – samotną kropkę zmierzającą w ich stronę. Może akurat ten Tremista miał rozkaz nie opuszczać posterunku na platformie.

Mason stawiał stopy ostrożnie, ale buty i tak uderzały cicho o posadzkę. Pocił się w pancerzu, lecz nie pozwalał sobie na słabość, nie teraz, kiedy większość załogi była w gorszej sytuacji niż on. Nie teraz, kiedy los Merrin i Susan wisiał na włosku. Był nadal wolny i żywy, a prawdziwy żołnierz ZDK zrobiłby raczej z tego użytek, niż się ukrywał.

Przeszedłszy przez wąski tunel na przylegający pokład, wkroczył do ładowni. Było to największe pomieszczenie na całym „Egipcie", wysokie na dwadzieścia poziomów, przeznaczone dla mniejszych jednostek kosmicznych, w tym kilku myśliwców typu „Lis", które mogły zostać wysłane do ochrony okrętu, gdyby działa nie wystarczyły. Wielka otwarta przestrzeń na środku służyła do manewrowania; pokłady otaczały ją pierścieniem, toteż każda maszyna mogła wlecieć i wylądować na wyznaczonym miejscu na obwodzie. Po prawej stronie znajdowały się wielkie wrota, pole siłowe pozwalało myśliwcom wlatywać bez utraty ciśnienia.

Tym razem nie zauważył ani jednej jednostki.

Nie było też wolnej przestrzeni, w której maszyny mogłyby manewrować. Niemal każdy dostępny centymetr był zajęty przez wielki sześcian ze srebrzystego metalu. Wyglądał na jednorodny, ale gdzie w kosmosie ktoś mógł stworzyć i ukształtować tak wielki kawałek metalu? Ładownia liczyła sobie dwadzieścia poziomów wysokości, a sześcian wypełniał ją całą, zasłaniając umieszczone najwyżej światła i kryjąc dolne poziomy w półmroku.

To musiała być ta broń. Musiała. Nigdy nie widział czegoś podobnego, nawet nie próbował się domyślać, co to było ani co robiło.

Kiedy znów spojrzał na swój wyświetlacz, jego serce podskoczyło: kropki znajdowały się obecnie po drugiej stronie ładowni i szły w kierunku znaku wskazującego miejsce połączenia „Sokoła" z „Egiptem". Oddzielał ich tylko ten dziwny sześcian. Mason znów zaczął zastanawiać się nad szczegółami swojego przebrania, ale nie mógł się skupić. Gdyby musiał coś powiedzieć, głos by go zdradził. Chłopak był dość niski, poruszał się jak człowiek, bez tej gracji, jaką mieli Tremiści, nie rozumiał ich technologii, rozpoznaliby go od razu.

Jego puls walił niczym młot Thora, ale Mason szedł dalej. Krok za krokiem, wokół lewego boku sześcianu. Kiedy kropki zbliżyły się, zmieniły się też jakieś znaki na wyświetlaczu.

Kropki zaczęły przemieszczać się z lewa na prawo, do rogu sześcianu, w którego stronę zmierzał też Mason; kimkolwiek by tamci nie byli, szli tunelem prowadzącym w tę stronę, jeśli zwolni, ich drogi się przetną. Sześcian rzucał cienie, skradanie było jednak na nic, skoro mogli zobaczyć go na swoich wyświetlaczach. Dlatego mokrymi od potu rękami ściskał pazur tak, jak trzymali go Tremiści: na ukos przez pierś, lufa nad lewym ramieniem.

Kropki były teraz bardzo blisko, wreszcie weszły do ładowni.

Fioletowe – Tremiści, białe – wzięci do niewoli żołnierze ZDK.

Jedną białą kropką była jego siostra.

Jedną fioletową był król.

* * *

Kiedy podeszli bliżej, król zwolnił kroku. Wszyscy patrzyli na sześcian, najwyraźniej zaskoczeni jego rozmiarami, co oznaczało, że nikt nie patrzył na Masona, który szedł w ich stronę, jakby patrolował okolicę. Jeden z Tremistów zauważył jego nadejście i skinął głową.

Król przyłożył do sześcianu dłoń z rozstawionymi palcami i pochylił głowę, jakby czegoś nasłuchiwał. Mason wiedział, że żołnierz powinien cały czas obserwować wroga, ale jemu również trudno było oderwać wzrok od wielkiej kostki. Tam, gdzie na metal padało światło, zdawał się migotać.

Mason znajdował się jakieś dziesięć metrów od nich, na tyle blisko, że widział poszczególne pasma włosów na głowie Susan i nie miał pojęcia, co zrobić, kiedy już do nich dotrze. Zatrzymać się? Poprosić o dołączenie? Próbować rozwalić z pazura?

Oprócz Susan i króla, było tam również trzech Tremistów, z których każdy prowadził przed sobą jednego wysokiego rangą oficera ZDK. Ci mieli ręce związane z tyłu, głowy zwieszone. Zdradziła ich liczba kręgów na kołnierzu, wskazując Tremistom rangę jeńców. Mason pomyślał, że to głupie tak podawać wrogom wszystko na tacy.

– Chcę protokoły do jej bezpiecznego przetransportowania – powiedział niemal szeptem król do Susan. – Chcę wszystko, co macie na jej temat. Natychmiast.

Zaczął iść wzdłuż północnej krawędzi, a Mason ruszył za nim. Z ulgi niemal się przewrócił, jak na razie nic go nie zdradziło. Przyprawiające o zawrót głowy uczucie nie trwało długo. Nadal nie wiedział, co powinien zrobić.

– Nie mam do nich dostępu – powiedziała Susan.

Rzuciła okiem na Masona i jej warga wykrzywiła się drwiąco. Mason chciał krzyczeć, że to on, pragnął tego tak bardzo, ale musiał zacisnąć usta. Król odwrócił się, prezentując zniszczony płaszcz. Mason nie mógł nie myśleć, czy pod krwawoczerwonym hełmem kryją się fioletowe włosy i skóra blada jak u Merrin? Czy żyły pod skórą wyglądają jak tatuaże?

– Kto miał do niej dostęp w przypadku śmierci kapitana? – spytał król.

– Nie wiem.

Król odwrócił się, unosząc rękę, i uderzył Susan na odlew, aż uklękła. Na pokład kapnęła kropla krwi. Włosy zwisały niczym zasłona, kryjąc jej twarz. Dłonie Masona zacisnęły się na pazurze, ale ani drgnął. Jeszcze nie. Nie, jeśli pancerz króla mógł pochłonąć energię wystrzału z pazura tak samo jak w przypadku strzelb. Kadet musiał mieć pewność, nawet jeśli krew się w nim gotowała, kiedy widział, jak Susan staje na drżących nogach.

– To się dowiedz – stwierdził król.

– Więc tak załatwia się sprawy u Tremistów – powiedziała Susan.

Król wyglądał tak, jakby chciał ją uderzyć jeszcze raz, już zacisnął dłoń. Ale po prostu odwrócił się i cała grupa ruszyła dalej.

– Nigdy ci nie pomogę – powiedziała Susan, kiedy zrobili już ze dwadzieścia kroków. Nie powiedziała tego z nienawiścią w głosie ani groźnie, po prostu stwierdziła fakt.

– Zmusimy cię. A jeśli nie, zmuszę kogoś innego. A ty będziesz na to patrzyć.

Susan nie odpowiedziała, ale Mason widział, jak jej ramiona sztywnieją.

Grupa opuściła ładownię i weszła do tunelu prowadzącego do doku. Widoczne na wyświetlaczu tętno Masona cały czas przyspieszało, był niemal pewien, które symbole to przedstawiały, ale nadal nie wiedział, co znaczą. W każdym razie musiała to być wysoka cyfra. Niedobrze, powinien się uspokoić, aby uniknąć drżenia rąk. To spokój był najważniejszy. Oddychać głęboko. Nie bać się. Kiedy wyjdą z krótkiego tunelu, znajdą się na „Sokole", z którego nie będzie łatwo uciec.

Mason na pierwszym roku musiał poznać działanie „Sokoła". Był to jedyny pojazd Tremistów, jaki ZDK kiedykolwiek zdobyło, i jedyny, na temat którego wiedziano najwięcej. Ponieważ podczas tego pierwszego roku więcej niż raz pakował się w kłopoty, chcąc sprawić Susan przyjemność, nauczył się całego rozkładu i zdobył jeden z najwyższych wyników na egzaminie. W nagrodę Susan zabrała go na wycieczkę po zdobytym pojeździe. Tym lepiej dla niego, bo jeśli każdy „Sokół" był taki sam, powinien pamiętać, gdzie co się znajduje. Największe pomieszczenie w pobliżu mostka miało być kwaterą kapitana. Miał nadzieję, że tym razem będzie ona należeć do króla. Jednak na okręcie, który wtedy oglądał, nie kręciło się przez cały czas aż tylu Tremistów. Dlatego teraz znajdował się w trudnej sytuacji, dlatego zaczął się zastanawiać, co będzie, jeśli niewłaściwie zapamiętał rozkład pomieszczeń. Uczył się tego kilka lat temu – zbyt dawno, by zaufać tylko wzrokowi.

Król odwrócił się do jednego ze swoich żołnierzy.

– Kiedy otworzymy wrota, zacznijcie wyładunek. Nie czekajcie na protokoły. Jeśli nie ruszymy w ciągu dziesięciu minut, każda kolejna będzie cię drogo kosztować. Zrozumiano?

– Tak jest, panie – odparł Tremista i zanim odszedł, przekazał swojego jeńca żołnierzowi stojącemu obok.

Mason musiał się spieszyć. Jeśli zamierzali otworzyć główną ładownię i zabrać wielki sześcian, „Sokół" musiał się rozłączyć, aby drzwi ładowni mogły się otworzyć. A wtedy on zostanie uwięziony na jednostce przeciwnika razem z Merrin i Susan. Sześcian był wielki, w żaden sposób nie zmieściłby się na wrogim okręcie. To znaczyło, że będą musieli go holować, o ile to w ogóle było możliwe.

Na drugim końcu korytarza, przy wejściu na „Sokoła", stało dwóch strażników. Mason czekał, aż go zaczepią, uniosą swoje pazury, ale oni byli nieruchomi jak posągi. Grupa szła dalej, zbliżała się do wejścia, a on szedł na końcu. Wstrzymał oddech, kiedy schodząc z gładkiego, srebrzystego metalu „Egiptu" na szorstką, podobną do skały powierzchnię „Sokoła", wkroczył na terytorium wroga.

To wszystko szło zbyt gładko. Mason właśnie przedostał się na pokład. Czekał, czekał i czekał, napinając mięśnie, aż coś wyskoczy z cienia i go pochwyci. Złapie i zaniesie do jakiejś sali tortur Tremistów.

I wtedy król nagle się zatrzymał. Pozostali również. Odwrócił się powoli, a Mason czuł na sobie jego wzrok, chociaż maska była tylko ciemną plamą.

– Ty – powiedział król.

Rozdział 11

Mason znieruchomiał. Koniec gry, próbował, może innym razem będzie miał więcej szczęścia. Wypełnił go pełen spokoju smutek; był ostatnią nadzieją i zawiódł. Jedynym pocieszeniem było to, że mimo wszystko próbował działać.

Susan także patrzyła na niego ze zmarszczonymi brwiami. Był gotów uciekać albo przeprowadzić ostatni w życiu atak, lecz zmuszał się do zachowania spokoju. Nie mógł działać, dopóki nie był pewien, że ma jakieś szanse.

Król złapał Susan za ramię i pociągnął, a może raczej popchnął do przodu.

– Zabierz ją do celi.

Nie powiedział już nic więcej, tylko ruszył dalej, skręcając w korytarz, który jak Mason wiedział, prowadził do ładowni „Sokoła".

Z ulgi aż odrętwiał. Każdy centymetr jego ciała pragnął uścisnąć Susan, sprawić, aby podniosła go do góry i może rozczochrała włosy jak wtedy, kiedy był mały, kiedy rodzice byli na jakiejś dalekiej misji i bardzo za nimi tęsknił.

Ale nadal miał coś do zrobienia.

Mason został z siostrą sam na sam, nie licząc dwóch strażników niepatrzących na nich, tylko dalej udających posągi. Chwycił ją za rękę i zaczął prowadzić. Susan nic nie powiedziała. Nie stawiała oporu, wydawała się pokonana. Gdybyż tylko mógł jej powiedzieć, że to jeszcze nie koniec, że nadal jest nadzieja. Najpierw jednak musiał ją prowadzić.

Przez jakiś czas szli w milczeniu obok siebie. Wreszcie Mason nie mógł czekać dłużej.

– To ja – powiedział. – No, twój brat.

Usta Susan rozchyliły się nieco, na jej twarzy przez chwilę malowało się zaskoczenie i niedowierzanie jednocześnie. Mason mógł to zrozumieć, jemu samemu było trudno uwierzyć, że zdołał zajść aż tak daleko.

– Ty idioto – powiedziała cicho – a jeśli cię złapią?

Zaczęła się uśmiechać, ale uśmiech szybko zniknął z jej ust, jak starty. Zaczęła zaglądać w okna rozmieszczone na prawej ścianie. Mason podszedł bliżej i zobaczył, co sprawiło, że uśmiech znikł z jej twarzy...

Okno wychodziło na dużą, otwartą przestrzeń ładowni „Sokoła". Była zajęta przez załogę „Egiptu". Stali w szeregach, brudni, pokrwawieni, w poszarpanych kombinezonach, ledwo trzymający się na nogach. Mason domyślał się, że musiało ich tam być niemal dwustu, prawie cała załoga „Egiptu", poza zabitymi. Wrót prowadzących do pomieszczenia strzegło wielu Tremistów pod bronią. Nie było sposobu, aby tam dotrzeć, uwolnić ich samemu. Mason wiedział, że siostra myśli o tym samym.

Nadal jednak można było uratować Merrin. Kwatera króla była na szczęście blisko. Mason chwycił Susan za rękę i pociągnął.

– Nie możemy się zatrzymywać.

– Wiem – odparła Susan. Oczy miała szeroko otwarte, źrenice zwężone, jakby była w szoku. – Muszę wyłączyć okręt. Muszę ich uratować.

– To niemożliwe – odparł Mason. – Przestań gadać.

Czuł się zakłopotany, zwracając się do siostry w ten sposób – kim był, aby mówić jej, co ma robić? Nie wiedział jednak, kto ich może usłyszeć.

– Zawróć i zejdź z okrętu – powiedziała Susan, patrząc na niego. – To ROZKAZ.

– Jestem Tremistą i nie słucham rozkazów ZDK – odparł. Susan nie rozbawił ten żart. – Merrin jest tu gdzieś blisko – poprosił. – Możemy ją uratować.

Susan nie sprzeciwiała się, szli dalej. Może gdyby udało im się ocalić Merrin, Mason zdołałby przekonać siostrę, że potrzebuje jej pomocy, aby wyłączyć okręt. Nie po to zaszedł tak daleko, aby ją teraz zostawiać.

Korytarz był podobnych rozmiarów jak na „Egipcie", może nieco węższy. Ściany zdawały się pulsować dziwnym światłem, od patrzenia na nie Masonowi zaczynało się kręcić w głowie. Ale to nadal był zwykły korytarz, dwie ściany od podłogi do sufitu ustawione pod odpowiednim kątem, takie same jak te, którymi szedł z Susan, gdy pokazywała mu zdobytego „Sokoła" w Jedynce. Wspomnienia nakładały się na to, co teraz widział. Wtedy szedł w zadziwieniu i z szacunkiem, pojmując, że to był pojazd stworzony przez obcą cywilizację. Piękny na swój sposób. Teraz jednak widział tylko niebezpieczeństwo. Ten okręt żył, nie był sterylny i pusty. Ten okręt mógł go zabić.

Susan pozwoliła Masonowi się prowadzić, wyglądała jak zszokowany jeniec po walce.

Zza rogu wyszli prosto na nich dwaj Tremiści trzymający pazury w gotowości. Mason zesztywniał, ale zmusił się do utrzymania tego samego kroku. Lustrował ich, wypatrując jakiegoś sygnału, że wiedzą, kim jest. Odruchy nakazywały mu, by jako pierwszy użył broni, zlikwidował wrogów, nim zrobią to oni. Jednak hałas z pewnością przyciągnąłby przebywających w pobliżu żołnierzy. „Sokół" odnotowałby wyładowanie energetyczne i powiadomił załogę. Idąca obok niego Susan pozwoliła głowie opaść, zaczęła szurać nogami. Mason szedł za nią, nieco mocniej ją ściskając. Dla wszystkich mieli być tylko Tremistą i jeńcem.

Tremiści jak do tej pory nie podnieśli pazurów.

Byli coraz bliżej.

Aż ich minęli.

Mason niemal zadrżał, ale zdołał się opanować. Odgłosy ich kroków cichły w oddali, nie zmieniając tempa.

Korytarz zaczął skręcać na prawo, w stronę dziobu okrętu. Trzech strażników, powiedział król. Na szczęście Mason mógł liczyć na efekt zaskoczenia. Zamierzał właśnie po raz kolejny przekonać Susan, aby została z nim, ale wtedy znaleźli się u drzwi.

– To tutaj – powiedział.

Susan dotknęła granatów na jego pasie.

– Te są ogłuszające – objaśniła, dotykając zawieszonych na lewym biodrze – a te wyzwalają impuls elektromagnetyczny – dodała, wskazując te z prawej.

– Skąd wiesz? – Mason odpiął od pasa dwa granaty ogłuszające i podał jeden siostrze.

– Akademia II – powiedziała, puszczając oko. – Jeszcze nie skończyłeś szkoły.

– Nie przypominaj mi o tym.

Kiedy znaleźli się wystarczająco blisko, drzwi otworzyły się automatycznie, odsłaniając luksusowo wyposażone pomieszczenie. Wszystko było fioletowe i Mason nie po raz pierwszy zastanowił się, dlaczego Tremiści mieli obsesję na punkcie tego koloru. Łóżko było zasłane miękkimi tkaninami w odcieniu wpadającym w czerwień. Na ścianach wisiały gobeliny przedstawiające dziwne lasy i jeszcze dziwniejsze zwierzęta.

Pokój wydawał się pusty. Mason i Susan zatrzymali się, wytężając słuch, lecz nie wychwycili niczego. Nie mógł być pusty. Zrobili dwa kroki do przodu i okazało się, że pomieszczenie miało kształt litery L. W dalszej części kwatery mieściły się: aneks kuchenny, miejsce do spożywania posiłków, biurko i krzesło, na którym właśnie siedziała Merrin.

Otoczona przez trzech uzbrojonych Tremistów.

– Teraz! – powiedziała Susan. Rzucili swoje granaty w tej samej chwili, dokładnie pod nogi strażników.

– Zasłoń uszy! – krzyknął Mason.

Merrin była szybka. Zakryła uszy dłońmi i zacisnęła mocno powieki. Mason odwrócił się, robiąc to samo. Dwa wybuchy trwały nadal, głośne i jasne, przez jego pancerz przeszła fala niczym gwałtowny, niespodziewany wiatr. Przyklęknął na jedno kolano, zakłócenia uniemożliwiały mu patrzenie przez maskę. Jego ciało napięło się, kiedy pokój wypełnił dźwięk strzału z pazura. Wzrok odzyskiwał powoli, zdawało mu się, że mijają całe godziny, aż wreszcie zobaczył zataczającego się Tremistę, równie powolnego, jak on, strzelającego z pazura na oślep. Jeden zabłąkany promień mógł ich zabić. To nie poszło tak, jak Mason planował, powinni poczekać na zewnątrz i upewnić się, że Tremiści stracą przytomność. Zielone promienie przeleciały nad jego głową. Jeden musnął prawe ramię, parząc skórę. Chłopak krzyknął, a spod maski rozległ się tylko zniekształcony dźwięk.

A potem dostrzegł ruch po prawej stronie, Susan poruszająca się między wrogami niczym cień. Jednego Tremistę uderzyła kantem dłoni w kark, drugim cisnęła o ścianę tak mocno, że popękała jego maska. Ostatni cofał się przed nią, nie zdając sobie sprawy, że za plecami ma Masona. Kiedy wycelował w nią pazura, kadet zrobił krok w bok i podciął go, po czym skoczył na jego pierś kolanami.

– Zaraz tu będą! – krzyknęła Susan. – Uciekaj!

– Tylko z tobą! – odkrzyknął w jej stronę.

– Mason? – spytała Merrin. Nie siedziała już na krześle, ale wciąż zasłaniała uszy.

Tremista, którego Susan uderzyła w kark, wstał i ruszył na Masona, ale chłopak znów zrobił krok w bok, znalazł się za przeciwnikiem i niczym młotem uderzył go złączonymi pięściami w nerki, a przynajmniej tam, gdzie miał nadzieję je znaleźć.

– Tak, cześć – powiedział do Merrin.

– Skąd wziąłeś zbroję?

– Musisz wiedzieć to teraz?

Tremista oderwał się od ściany, ale Susan czuwała. Mason przykucnął i siostra przeskoczyła nad nim, w wysokim kopnięciu trafiając przeciwnika w gardło. Jednak zbroja była zbyt gruba. Aby powalić ich wszystkich, potrzebowali czegoś więcej. Susan sięgnęła po pazur, ale Tremista kopnięciem posłał go pod łóżko. Mason wciąż odczuwał skutki działania granatu ogłuszającego, Merrin pewnie też. Przebiegł przez pokój i chwycił dziewczynę za rękę, odciągając od Tremisty, który wciąż usiłował wstać. Susan kopnęła go w głowę. Inny pazur, zniszczony, dymił na podłodze.

Uciekli. Tą samą drogą, którą przyszli. Kilkaset metrów ciągnących się jak kilometry. Światła na ścianach pulsowały teraz szybciej – czy był to jakiś rodzaj alarmu? Mason oddychał zbyt ciężko, w jego uszach brzmiało to jak rzężenie. Na korytarzu rozległ się tupot – Tremiści byli za nimi.

– Nie zwalniaj! – krzyknęła Susan. – Nie zwalniaj!

Korytarz wyprostował się za zakrętem, Mason widział już wrota prowadzące na „Egipt". Goniło ich sześciu Tremistów z uniesionymi pazurami, w przyćmionym świetle na ich maskach widzieli swoje niewielkie odbicia. Mason skrył się za zakrętem, Susan i Merrin zanurkowały za nim, podczas gdy zielone promienie świsnęły korytarzem.

Dwaj strażnicy przy wejściu byli przygotowani, nie wyglądali już jak posągi. Mason jednak tego się spodziewał. Upuścił dwa uzbrojone granaty elektromagnetyczne. Odbiły się od podłogi, trzasnęły i wyświetlacz w hełmie Masona przestał działać. Był zniszczony. Podobnie jak pazury, którymi Tremiści mieli ich zabić. Strzelali bezskutecznie, toteż Merrin udało się przemknąć po lewej i postawić stopę na pokładzie ziemskiego okrętu. Odwróciła się, aby pomóc, ale Mason stracił ją z oczu, gdy jeden ze strażników pchnął go tak mocno, że wpadł na ścianę „Sokoła". Wiedział, że Susan walczy z drugim strażnikiem w lawinie uderzeń i kopnięć, ale głowa pulsowała mu bólem, wzrok tracił ostrość. Miał świadomość, że nic to nie znaczy, ponieważ sześciu Tremistów musiało być zaledwie o sekundy za nimi. Będą mieli przewagę liczebną. Gdyby tylko Merrin mogła zamknąć drzwi, przynajmniej ona byłaby bezpieczna.

Tremista stał nad nim i patrzył w dół z głową przekrzywioną na bok, jakby Mason był czymś dziwnym. Potem uniósł połamany pazur wysoko nad głowę – skomplikowana broń została zredukowana do funkcji pałki, którą zamierzał rozbić czaszkę Masona...

Chłopak odruchowo zamknął oczy, ale otworzył je chwilę później, kiedy Susan chwyciła go i dosłownie rzuciła nim o pokład „Egiptu". Kiedy leciał, poczuł ulgę: głowa była w całości. Mógł wrócić do walki. Uderzył ciężko o pokład i stracił dech, przetoczył się i dźwignął na czworaki. Podrywając głowę, zobaczył, jak siostra walczy teraz samotnie z dwoma Tremistami. Zamierzał właśnie popędzić z pomocą, ale wtedy Susan łokciem uderzyła w kontroler wrót.

Nie, to nie mogło tak być! Nie mogła zamknąć się w środku. Mason chciał krzyczeć, ale powietrze nie chciało wrócić do jego płuc. Patrzył, jak wielkie wrota zatrzaskują się między nimi. Przez szparę było widać zielony błysk pazurów. Mignięcie czarnych włosów Susan znikających z pola widzenia.

Cisza.

Rozdział 12

„Sokół" z drżeniem odłączył się od „Egiptu" i zaczął się oddalać.

– Nie! – krzyknął Mason, waląc pięściami we wrota. – Nie, nie, nie!

W jednej chwili wszystko zrozumiał. Jego granaty elektromagnetyczne ocaliły im życie, ale uszkodziły też system otwierania wrót. Guzik, w który Susan uderzyła łokciem, pozwalał na mechaniczne rozłączenie okrętów. Był jednak umieszczony na „Sokole". Ktoś musiał zostać, a on przypieczętował los siostry, kiedy rzucił granaty.

To przez niego tam została.

Błysk zielonego światła ciągle trwał w powidoku, ale on w to nie wierzył. Nie mogli jej zabić. Nie. Było ich zbyt wielu. Król nadal chciał z nią rozmawiać. Tak, zachowają ją przy życiu. Dołączą do pozostałych jeńców. Ostrzał z pazurów miał ją zmusić do posłuszeństwa albo przestraszyć.

Zamknął swoją siostrę na „Sokole".

– Mason, musimy iść. Mason! – Merrin ciągnęła go do tyłu, ale on wywijał się z jej uchwytu i przywierał do szczeliny widokowej. Musiał patrzeć. Przez drzwi nic nie było widać, okręty znajdowały się już zbyt daleko od siebie, aby je zobaczyć.

– Odeszła – powiedziała Merrin. – Wypełnia swoje zadanie.

Pociągnęła go znów, ale Mason odtrącił jej rękę. Chwyciła za hełm i zerwała go z głowy.

– Jakie zadanie?! – warknął. – Dać się złapać? Co dobrego może tam zdziałać?

– Może uda się jej uciec... – To była słaba pociecha i oboje o tym wiedzieli. Merrin wyglądała tak, jakby chciała cofnąć te słowa.

Jej fioletowe oczy błyszczały, błagały. Mason wiedział, że chciała go pocieszyć najlepiej, jak potrafiła, ale ten fiolet przypominał mu o najważniejszej rzeczy. Dostrzegał też delikatne sine linie żył na szyi, po bokach twarzy.

Mason wziął głęboki oddech. Musiał wiedzieć, co ona wie. Nieważne, czy są przyjaciółmi, czy nie.

– Jesteś Tremistką? – spytał.

Wiesz, kim jest. Twoją przyjaciółką. Jedyną przyjaciółką.

– Dlaczego...?

– Widziałem jednego. Miał taki sam kolor oczu i włosów jak ty. Taką samą skórę. – Usiłował przełknąć ślinę, ale gardło było zbyt suche. – Czy farbujesz włosy? Zmieniałaś ubarwienie tęczówek?

– Nie, ja...

– Więc jesteś Tremistką?

Zacisnęła usta i spojrzała na niego. Poczuł, jak ściska się mu żołądek ze smutku – nie chciał być tak okrutny. Jeśli jednak Susan została tam, aby dziewczyna była wolna, chciał wiedzieć, czy Merrin jest do końca wierna na ZDK. Zwłaszcza że nadal musieli poradzić sobie z Tremistami na „Egipcie". Musiał jej zaufać. „Przecież i tak jej ufasz, idioto" – pomyślał. „Tak bardzo jak Susan. Co ty wyprawiasz?"

– NIE JESTEM Tremistką – powiedziała wreszcie. – Fakt, że mnie o to zapytałeś, wiele mówi, Stark. Poznałeś mnie, zanim zostaliśmy kadetami, i teraz pytasz mnie o to?!

Mason poczuł ostre ukłucie w piersi. Postarał się, aby jego głos brzmiał bardziej miękko, mniej oskarżycielsko:

– Merrin, widziałem jednego z bliska, to wszystko. Zdjąłem jego pancerz i zobaczyłem twarz.

Odruchowo uniósł dłoń, aby dotknąć jej policzka, ale odepchnęła ją, zanim zdążył to zrobić. Jego własne policzki zaczynały go palić.

– Nazywam się Merrin Solace. Moja mama jest oficerem ZDK. Ojciec jest lekarzem. Urodziłam się na Marsie w dwa tysiące siedemset osiemdziesiątym siódmym roku. Jeśli mi nie ufasz, to twój problem.

Zaczęła odchodzić. Mason chwycił ją za nadgarstek. Merrin spojrzała na jego dłoń, po czym powoli, niemal leniwie, przesunęła wzrok na jego oczy. Niebezpiecznie.

– Puść mnie – zażądała lodowato.

Tak zrobił.

– Wracam do reszty. Potrzebują nas.

Nie mógł zapomnieć tego, co widział. Ta część jego mózgu, która odpowiadała za logikę, mówiła, że to nie przypadek. Ale serce mówiło: „zaufaj jej". Mówiło, że niezależnie od tego, jaka krew płynie w jej żyłach, należała do ZDK, tak jak on. Jak mógł jednak się upewnić? Będzie musiał poczekać, aż się przekona, i być cały czas czujnym.

„Tremistka czy nie, jest w twoim zespole, a ty w jej".

Wyciągnął rękę, zerknęła na nią przez moment.

– Przepraszam – powiedział. – Wiesz, że zrobiłbym dla ciebie wszystko.

Pokiwała sztywno głową.

Przez okno widać było, jak „Sokół" ustawia się przed ładownią „Egiptu". Nie wracali po Merrin.

Broń była dla nich ważniejsza.

– Pomożesz mi znaleźć pozostałych kadetów? – spytała.

– Tak – odparł Mason. – Ale jest coś, co muszę najpierw sprawdzić.

* * *

Poszli do ładowni. Zamknięta. Główne wrota otwarto na próżnię; w pomieszczeniu nie było ani jednego atomu tlenu. Przez okno widzieli, jak w kompletnej ciszy sześcian wyjeżdża ze swojego miejsca. „Sokół" w jakiś sposób go holował, zapewne przy pomocy dwóch promieni ściągających umieszczonych pod silnikami.

Teraz Tremiści byli w posiadaniu broni. Czymkolwiek by była, oznaczało to niepowodzenie misji. Masonowi nie udało się powstrzymać wroga. Żołnierz w jego wnętrzu wstydził się, że wybrał Merrin i swoją siostrę, a nie zadanie, które mógł wskazać mu każdy wyższy stopniem oficer: utrzymać broń z dala od przeciwnika.

Brata i przyjaciela w jego wnętrzu nic to nie obchodziło.

– Co to jest? – spytała Merrin z podziwem w głosie.

Wielkość sześcianu nadal zaskakiwała Masona. Co innego zobaczyć coś wielkiego, stworzonego przez człowieka, jak stacja kosmiczna „Olimp", a co innego oglądać coś, co nie wiadomo czym było. Skrywające tajemnicę pochodzenia i przeznaczenia.

– To właśnie dla tego, czymkolwiek by to nie było, Tremiści wdarli się na nasz pokład. Wiem to. – Odwrócił się do Merrin. – Musimy być ostrożni.

Odeszli od okna i udali się w stronę windy, która miała zawieźć ich na najniższy poziom sekcji łączącej obie części okrętu. Kiedy się tam znaleźli, Mason wcisnął guzik „na dół". Dotknął miejsca za swoim uchem.

– Elizabeth?

– Tak, kadecie Stark.

– Ilu żołnierzy jest na okręcie? ZDK i Tremistów.

– Na pokładzie znajduje się dziewiętnaście osób z załogi ZDK. A także dwunastu Tremistów, nie licząc jednego nieprzytomnego w tunelu inżynieryjnym.

Masonowi odebrało mowę. Ogółem kadetów było osiemnastu. To musiał być błąd, dlatego spytał:

– Ilu... ilu jest oficerów ZDK?

– Jedynym pozostałym na „Egipcie" oficerem jest komandor porucznik Lockwood. Dwustu dziewięćdziesięciu sześciu zostało pojmanych i znajduje się na jednostce Tremistów, trzynastu nie żyje. Komandor porucznik Lockwood jest w stanie krytycznym w izbie chorych wraz z kadetami.

Odetchnął z ulgą. Kadeci byli cali i razem. Nagły przypływ dumy dodał mu sił: udało im się uniknąć pojmania.

– A co z Tremistami? – zapytał. Ulga nie trwała długo, na „Egipcie" było jeszcze dwunastu aktywnych Tremistów. Kadetów było o sześciu więcej, ale on widział już wroga w działaniu, i to z bliska. Otwarta walka nic by nie dała. Potrzebowali planu, czegoś sprytnego i zaskakującego.

– Sześciu z nich przebywa na mostku. Pięciu porusza się po okręcie. Jeden znajduje się w łazience. Do tego ten, którego zamknąłeś w tunelu.

Winda zatrzymała się, wysiedli. Na korytarzu było pusto, wskoczyli więc na ruchomy chodnik i pojechali w stronę pomieszczeń załogi na lewej burcie. Ich przewagą będzie Elizabeth; wiedział, gdzie są Tremiści, a oni nie wiedzieli, gdzie przebywa on. To już jakiś początek.

– Możesz ich izolować? – zapytał. – Możesz zamknąć tego jednego w łazience?

– Zadanie wykonane – odparła Elizabeth.

Teraz musieli martwić się już tylko o jedenastu.

– Co z pozostałymi? – zapytał.

– Pozostałych pięciu nie znajduje się blisko miejsca waszego pobytu, ale może przejść przez określone strefy. Nie mogę powstrzymać sześciu obecnych na mostku przed dostępem do sterów „Egiptu", nie mogę uniemożliwić im wyjścia. Usiłują dostać się do mojego systemu i nie będę mogła zbyt długo się bronić.

Utrata Elizabeth oznaczałaby koniec gry. Tremiści nie tylko zyskaliby całkowitą kontrolę nad okrętem, ale także mogliby znaleźć kadetów bez przeszukiwania wszystkich pomieszczeń. Byliby w stanie wystrzelić wahadłowce ratunkowe, nim kadeci zdążyliby do nich dotrzeć.

– Jak dużo czasu mamy? – Dotarli do tej części chodnika, która poruszała się szybciej. Mason starał się utrzymać równowagę, wiatr świstał mu w uszach.

– Przypuszczam, że będę lojalna wobec ZDK przez godzinę, może sześćdziesiąt osiem minut.

Mason i Merrin niemal spadli z chodnika, kiedy „Egipt" zaczął nabierać szybkości. Sześcian musiał już zostać zabrany, utrzymywany przez promienie ściągające „Sokoła". Wyobraził go sobie unoszącego się w kosmosie.

A teraz okręt się poruszał. Niedobrze.

– Raport o stanie broni – polecił Mason.

– Proszę zadać bardziej konkretne pytanie.

– Ten wielki sześcian w ładowni!

– Zastrzeżone.

– Powiedz mi cokolwiek. Kto go wykonał?

Nastała chwila przerwy.

– Nie mam danych na temat jego wykonania. Nie mogłabym o tym powiedzieć, nawet gdybym otrzymała taki rozkaz.

– Możesz powiedzieć mi cokolwiek?

– Proszę się nie rozłączać. Spróbuję zebrać informacje do bardziej konkretnego raportu.

Opuścili chodnik przy windzie w lewym walcu. Izba chorych była cztery poziomy wyżej, kilkaset metrów. Pozostali kadeci byli niedaleko. Wydawało się, że są bezpieczni, ale kiedy Tremiści przejmą kontrolę nad Elizabeth, będą jak kaczki na strzelnicy. Albo spłoszone kaczki, które łatwo będzie znaleźć. Nie mówiąc już o tym, że Tremiści w każdej chwili mogli zejść z mostka i rozpocząć przeszukiwanie jednego pomieszczenia po drugim.

Mason i Merrin podjechali windą dla załogi, po czym pobiegli wytłumionym korytarzem.

– Nadal wszystko w porządku? – spytał Elizabeth.

– Dwaj Tremiści idą w stronę części dla załogi. Znajdą się na miejscu najszybciej za trzy minuty. Poinformuję, kiedy będą blisko. Możliwe, że wejdą do walca, ale nie będą się zbytnio oddalać od mostka.

Mason znów oblał się potem. Informacje od Elizabeth to jedno, ale on chciał zobaczyć wrogów na własne oczy, wiedzieć dokładnie, jak się poruszają i gdzie. Niektóre części „Egiptu" wciąż były mu nieznane. Spodziewał się wroga za każdym rogiem, za każdymi drzwiami.

Na pokładzie panowała cisza, jeśli nie liczyć ciągłego szumu z oddali. Nie była to dobra cisza. Teraz okręt był niczym grób. Niemal pozbawiony życia. Kiedy wyruszali dwa tygodnie temu, załogę liczono w setkach, korytarz nigdy nie był pusty, ktoś zawsze gdzieś szedł. Teraz załoga albo nie żyła, albo – co gorsze – znajdowała się na „Sokole".

Skręcili za róg, w stronę izby chorych, a gdy tam dotarli, Mason zobaczył, jak osamotnieni tak naprawdę byli.

Rozdział 13

W pokoju znajdowało się osiemnastu kadetów, wliczając w to Masona, Merrin, Stellana, Jeremy'ego i Toma. Wiek – od siedmiu do trzynastu lat. Wszyscy zebrali się po jednej stronie izby, starając się zachować czujność, choć siedzenie w jednym miejscu sprawiało im wyraźną trudność. Zobaczyli Masona w jego zbroi i kilku z nich wyrwało się pełne zaskoczenia westchnienie, mimo iż od razu zdjął hełm. Pomyślał, czy nie pozbyć się reszty zbroi, ale uznał, że rezygnacja z zapewnianej przez nią ochrony byłaby głupotą.

Komandor porucznik Lockwood, którego łysa głowa pokryta była kroplami potu, leżał na plecach w łóżku; jego kark i część twarzy pokrywały oparzenia. Mundur nosił miejscami ślady przypalenia, a pod żebrami na prawym boku był spalony całkowicie. Skóra w tym miejscu wyglądała strasznie: sczerniała, popękana, zaczerwieniona i pokryta bąblami. Nie ulegało wątpliwości, że jeśli ranny nie zostanie szybko przewieziony do prawdziwego szpitala, umrze. Mason poczuł pustkę, ponieważ znał Lockwooda, który czasami pełnił nieoficjalnie rolę opiekuna kadetów.

Kadeci czekali spokojnie w bezpiecznej odległości, podczas gdy Stellan podawał płyny przez kroplówkę. Oczy Jeremy'ego były czerwone od łez. Tom milczał ponuro. Mason powoli podszedł do łóżka. Nie chciał przyglądać się ranom, ale nie mógł okazać przed innymi, jak bardzo jest zdenerwowany.

– Kadet Stark – rzekł Lockwood ochryple. Zakaszlał.

– Tak, sir – odparł Mason. Lockwood patrzył na niego, nie poruszając głową. – Tylko my pozostaliśmy, sir. Na mostku jest sześciu Tremistów, pięciu na korytarzach, a jednego kazałem Elizabeth zamknąć w łazience.

– Straszny wstyd – powiedział komandor. – Byłeś na „Sokole"?

– Tak, sir.

– Nieźle. – Kaszlnął ponownie, z głębi płuc. – Widziałeś naszą załogę?

– Tak, sir. Żyją. Są jeńcami, sir.

Mason poczuł ucisk za oczami i kulę w gardle. Nie będę płakał. Musiał być silny. Jeśli pozostali tylko oni, ktoś musiał być silny. Gdyby była tu Susan, wzięłaby to na swoje barki, ale jej nie było. „Starkowie przewodzą" – powtarzała mu wiele razy. „Nasi rodzice byli przywódcami. To odpowiedzialność, nie honor. Obowiązek".

Obowiązek. Nienawidził teraz tego słowa.

– Słyszysz mnie, Mason? – spytał Lockwood. Włosy po prawej stronie głowy miał spalone, głos drżący i słaby.

– Sir – odparł Mason.

– Jak rozumiem, twoja siostra przed opuszczeniem „Egiptu" była nowym kapitanem.

– Tak, sir.

– Jestem ranny, synu. Poważnie.

Mason popatrzył na obrażenia.

– To nie wygląda tak źle. Nie dla komandora ZDK.

Lockwood usiłował się uśmiechnąć, ale wyszedł mu tylko grymas.

– Jeremy, następne dziesięć jednostek – powiedział Stellan.

– Nie! Nie... – poprosił Lockwood. – Muszę być przytomny. Ból jest w porządku, chłopcy. Ból może być przyjacielem żołnierza, jeśli ten posłuży się nim, aby pozostać czujnym.

– Sir – powiedział Mason – co było w ładowni? Sześcian.

Komandor spojrzał na niego przytomniej, na chwilę wolny od bólu.

– Zabrali go, tak?

– Tak, sir.

– Wiesz, co to jest?

– Nie, sir.

– To koniec świata, synu. Staliśmy się chciwi. Całe ZDK, wszystkie zjednoczone światy, to nasze dzieło. Staliśmy się chciwi.

Pod pancerzem pot Masona stał się zimny. Jeśli to rzeczywiście była broń, teraz posiadali ją Tremiści i nie ma nikogo, kto zdołałby ją odzyskać.

– Co to jest?

– Brama. Największa, jaką kiedykolwiek zbudowano.

Przez chwilę Mason uznał, że ranny coś źle powiedział. Brama była dokładnie tym: bramą. Okręt mógł ją postawić zwykle od strony przedziału inżynieryjnego. Wyglądała jak kawałki metalu, które rozwijały się i łączyły ze sobą w kosmosie, aż utworzyły cienki krąg. Na tyle duży, że mógł przez niego przelecieć okręt. Brama zaginała przestrzeń, dopóki po jej drugiej stronie nie znalazło się odległe miejsce, do którego zamierzano dotrzeć. Jeśli tylko się wiedziało, dokąd chce się udać, brama pozwalała na podróże przez całą galaktykę.

Ale to, co widział Mason, nie było bramą. To był kawał metalu, z którego można było wykonać tysiące bram.

– Sir?

– To jest jedna brama, kadecie. Jedna brama.

Mason znów przypomniał sobie sześcian, jego długość i szerokość. Spróbował wyobrazić sobie, jak brama rozkłada się w przestrzeni kosmicznej. Jednak mózg chłopaka odrzucił taką możliwość, to było równie niewyobrażalne, jak odległości między gwiazdami.

– Przybyliśmy tutaj... – komandor znów charczał i rzęził, dopóki nie odkaszlnął – negocjować traktat z Tremistami. Podzielić się Błękitną Nori.

Pomysł, aby zawrzeć układ z Tremistami, wstrząsnął Masonem. Wojna skończyłaby się, oba gatunki miałyby dość miejsca na planecie, aby rozwijać się dalej. Wydawało się to zbyt piękne, aby było prawdziwe, nawet jeśli sam pomysł robił wrażenie tak prostego.

Wzrok Lockwooda potwierdzał, że to było zbyt piękne, aby było prawdziwe.

– To powód oficjalny – kontynuował – ale tak nie mogło się stać. ZDK nie oddałoby nawet częściowej kontroli nad planetą. Nawiasem mówiąc, to wszystko jest tajne.

Mason tylko pokiwał głową. Czuł, jak Merrin chwyta jego rękę i mocno ściska. Po drugiej stronie łóżka Tom spoglądał ponuro na komandora. Pozostali kadeci byli cicho i słuchali, jak ich nauczono.

– Mieliśmy za to otworzyć największą bramę w dziejach. Sześcian się rozwija. W rzeczywistości składa się z setek tysięcy tyczek, które będą się... teleskopowo wydłużać.

Mason zaczynał dostrzegać prawdę, zamiar, jeszcze zanim komandor dokończył, ale musiał to usłyszeć. Musiał to usłyszeć, aby w to uwierzyć.

– Na tyle wielki, żeby dało się przez niego przepchnąć całą planetę... – powiedział Lockwood.

– Sir...

– Zamierzaliśmy przenieść Błękitną Nori do naszego układu. Umieścić ją na tej samej orbicie co Ziemia, tylko po drugiej stronie Słońca. Kiedy by się ustabilizowała, mielibyśmy pod ręką niezamieszkaną planetę. A skoro byłaby tak blisko baz ZDK, Tremiści nie mieliby szans. Nie mogliby wygrać.

Było to błyskotliwe, ale i przerażające. Ukraść planetę z jej naturalnej orbity i dodać do naszego Układu Słonecznego. Mason nie potrafił pojąć, jak ZDK mogło opracować taki plan i go wdrożyć. Błękitna Nori NIE NALEŻAŁA do naszego układu, nie była jego naturalną częścią. Czy mogli chociaż w przybliżeniu wiedzieć, jaki to może wywołać efekt? Równowaga grawitacyjna w Układzie Słonecznym zostałaby zachwiana. Chyba że mieli jakiś pomysł, jak ją zrównoważyć.

Wydawało się, że Lockwood czyta w jego myślach.

– To jest lepsze niż pierwotny plan. Zamierzaliśmy zniszczyć Błękitną Nori, aby Tremiści nie mogli jej zdobyć w przypadku naszej przegranej. Ale teraz to już się nie liczy. Wcale. Liczy się, że mają zrobioną przez nas bramę i wiedzą, co planowaliśmy. Nie domyślam się, co zamierzają z nią zrobić, ale nie będzie to nic dobrego. Nie będzie... rozumiesz? Rozumiesz?!

Mason czuł, jak jego serce uderza, następuje chwila przerwy, po czym uderza znów. W jego wnętrzu panował iście kosmiczny chłód. Lockwood mówił, że nie wie, co Tremiści zamierzają zrobić z bramą, ale nietrudno było to sobie wyobrazić. Jeśli ZDK planowało ukraść planetę, to Tremiści zechcą zrobić to pierwsi.

Lockwood wyciągnął rękę i ścisnął ramię Masona tak mocno, że chłopak poczuł to nawet przez pancerz. Komandor zaczął się trząść.

Słowa Masona płynęły ciurkiem:

– Sir, nic nam się nie stanie. Kazałem Elizabeth zablokować Tremistę w łazience. Tom zamknął innego w tunelu. Pozostało tylko jedenastu. Udało się nam z Merrin zbiec z „Sokoła". Możemy odzyskać „Egipt" i zorganizować pościg za bramą.

Mówił to, co tamten chciałby usłyszeć, by dać mężczyźnie jakieś pocieszenie. Wiedział, że dla komandora to najgorszy sposób śmierci, umrzeć ze świadomością, że pozostawiło się osiemnastu kadetów, którzy musieli o siebie zadbać. Może będzie jednak wystarczająco silny, może wytrzyma jeszcze chwilę.

– Jesteś w stanie to zrobić? – wydawało się, że Lockwood pyta serio.

– Obiecuję, sir.

Lockwood pokiwał ponuro głową.

– Kadecie Stark... Mianuję cię kapitanem SS „Egipt". Odzyskaj go i dowiedz się, w jaki sposób ci dranie zamierzają wykorzystać bramę.

Rozdział 14

Komandor Lockwood osunął się z powrotem na łóżko, kiedy Stellan zaaplikował mu kolejną dawkę środków przeciwbólowych. Zamrugał i znieruchomiał.

– Musi odpoczywać – powiedział Stellan. – Jest dla niego nadzieja, jeśli zdołamy dotrzeć do bazy z odpowiednim szpitalem.

Umysł Masona trwał w bezruchu niczym wyłączony silnik na paliwo kopalne. Usiłował uruchomić go ponownie, powtarzając sobie słowa Lockwooda. Właśnie został mianowany kapitanem. Został kapitanem „Egiptu", odpowiedzialnym za kadetów i odzyskanie okrętu z rąk Tremistów.

Mason chciał wyłączyć sobie emocje, ale nie wiedział jak. Musiał być opanowany i kalkulować jak kapitanowie, którzy trafili do podręczników, jak kapitan Renner. Nie było to jednak możliwe, dlatego postanowił, że będzie udawał. Kiedyś wyczytał w książce słowa sławnego kapitana Taylora: „Nie jestem odważnym człowiekiem. Ale odwaga, jak większość innych rzeczy, może być udawana. I czasami, w rzadkich przypadkach, doprowadzi do prawdziwych sukcesów".

– Jeśli mamy odzyskać okręt, będę cię potrzebował – powiedział Mason do Stellana.

Ktoś inny musiał czuwać nad komandorem. Stan Lockwooda był poważny, ale oficer mówił świadomie i właśnie wydał rozkaz. Trzeba było przestać martwić się o jego zdrowie i zacząć myśleć o zadaniu.

– Przepraszam – powiedział Tom, marszcząc nos. – Czy on właśnie mianował cię kapitanem?

– Słyszałeś – powiedziała Merrin.

Tom spojrzał na Merrin, jakby zobaczył ją po raz pierwszy, jakby właśnie przypomniał sobie twarz Tremisty na platformie. Należało mu jednak przyznać, że nie wspomniał o tym ani słowem i nie zrobił z tego afery przed innymi kadetami.

– A my mamy teraz słuchać twoich rozkazów? – spytał Tom.

– Tak, o ile chcesz pozostać w ZDK.

Mason nie chciał tak mówić, nie teraz. Nie podobało mu się odwoływanie do rangi. Było to coś, o czym rozmawiał z Susan, kiedy na czwartym roku zapisał się na „Kurs przyszłych dowódców". Jeśli komuś nie wskaże się jego miejsca w szeregu, może to być uznane za przejaw słabości. To się będzie rozchodziło. Funkcja dowódcy oznaczała czasem poświęcenie przyjaźni. Nie żeby Tom był jego przyjacielem albo coś w tym rodzaju. Albo przynajmniej dobrym kolegą. Tego akurat Mason tak do końca nie umiał ocenić.

– Jaki jest zatem twój plan, kapitanie? – spytał Tom.

Mason zwrócił się teraz do całej sali, do czekających kadetów. Wiedział, jak nazywa się większość z nich, ale nie wszyscy, co go teraz zawstydzało. Spędził razem z nimi dwa tygodnie w tym samym pomieszczeniu i nie postarał się zapamiętać imion wszystkich. Kiedy ich pobyt na „Egipcie" się skończy, prawdopodobnie nigdy już się nie zobaczą. Zawsze było łatwiej się żegnać, jeśli się kogoś nie znało.

– Nikt z was o to nie prosił – powiedział – ale Ziemia polega teraz na nas. Mamy zadanie. Niektórzy z was trenowali przez rok, inni przez sześć lat. Tak czy inaczej, po to właśnie zostaliśmy kadetami. Musimy odzyskać „Egipt", a potem potrzebuję was wszystkich na mostku. Jeśli specjalizowaliście się w czymś, idźcie na to stanowisko. Będziemy uczyć się w trakcie, ale mamy ogólne pojęcie, jak funkcjonuje okręt, prawda? Tego uczą na pierwszym roku.

Kilku z nich uśmiechnęło się.

– Wspaniale, kapitanie – wtrącił się Tom – ale chodzi mi o tę część z odzyskiwaniem okrętu. Wiesz, z rąk Tremistów, którzy właśnie nim kierują.

Powieka Masona zadrgała, miał nadzieję, że nikt tego nie widział. Tom chciał usłyszeć jakiś plan już, natychmiast, ale Mason nie miał żadnego. Nawet nie miał początku. Będą musieli unieszkodliwić każdego Tremistę, w miarę możliwości pojedynczo. Potrzebne będzie tylko kilka strzałów z pazura, aby ich wszystkich położyć. Metodyczne atakowanie mogło zwyciężyć brutalną siłę. Trening z Jedynki się przydawał, Mason był z tego zadowolony. Ale co innego użyć swoich umiejętności na ćwiczeniach, a co innego w obliczu prawdziwego zagrożenia.

Nie mieli wielkich szans, może nawet wcale. Jak na razie wahadłowce były nadal pod ich kontrolą. Mogli się uratować i pozostawić „Egipt" w rękach Tremistów. Nie ma mowy, upomniał się. Otrzymali rozkazy, a król zdobył bramę. Muszą ostrzec resztę floty, bo nikt inny tego nie zrobi.

A jeśli chodzi o odwagę, Mason musiał ją udawać. Chłopak dotknął miejsca za uchem.

– Elizabeth, gdzie są teraz Tremiści?

Kiedy mówił, głos wypełnił cały pokój, nie jego ucho.

– Sześciu Tremistów jest nadal na mostku, dołączyli do nich dwaj kolejni. Jeden zamknięty w łazience, jeden w tunelu, trzej włóczą się po pokładach. Idą w stronę komory nieważkości w prawym walcu, sir.

Mason usiłował przypomnieć sobie funkcje, jakie pełniła komora nieważkości. Była mniejsza niż ładownia, ale wciąż mogła służyć za miejsce składowania. Gdyby wrota zostały otwarte w kosmos, pole siłowe utrzymywało powietrze wewnątrz. Każda powierzchnia mogła stać się magnetyczna. Magnesy można było natychmiast włączyć i wyłączyć, tak jak wtedy, gdy Mason sprawił, że Tom przegrał wyścig. Pola magnetyczne często kolidowały z broniami energetycznymi, zależnie od tego, jakiego były one rodzaju...

– Jeśli pole magnetyczne będzie uruchomione, czy ich pazury zadziałają? – spytał Mason.

– Nie. Ale strzelby fotonowe będą działać – padła odpowiedź po chwili milczenia.

– Super. – Uśmiechnął się i powiedział do kadetów: – Mam nadzieję, że pamiętacie, jak poruszać się w nieważkości.

* * *

Z komandorem Lockwoodem została dwójka kadetów – drobny chłopiec z pierwszego roku i dziewczynka z przeszkoleniem medycznym. Merrin zamknęła ich w środku na wypadek, gdyby Tremiści wygrali, ale kadeci mogli uciec do wahadłowca, zanim obcy zdołaliby całkowicie opanować „Egipt". Tom dał im dostęp do monitoringu, więc decyzja, kiedy uciekać, zależała tylko od nich.

Pozostała szesnastka szła cicho korytarzami do małej zbrojowni zlokalizowanej dwa poziomy niżej. Tam Tom i Jeremy z ponurymi minami podawali kadetom strzelby fotonowe, tak samo jak wcześniej podporucznik Michael. Lufy migotały kolorami, zmieniały je niczym pancerze Tremistów. Mason zastanawiał się, gdzie jest teraz podporucznik Michael, żyje czy zginął.

Jeremy pocił się. Podobnie jak Mason trzymał się z boku, kiwając głową każdemu kadetowi, który na niego patrzył. Kilku skinęło w odpowiedzi. Jednemu z chłopców drżała dolna warga, a Mason znów przypomniał sobie, kim byli. Na pewno nie prawdziwymi żołnierzami. Mason już miał odciągnąć kadeta na bok i odesłać do dwójki w izbie chorych, ale chłopak wziął głęboki oddech i zacisnął szczęki, dopóki się nie uspokoił. To podziałało budująco na Masona. Dało mu odrobinę nadziei, że może nie są skazani na porażkę, niezależnie od tego, co zrobią.

W pewnym momencie podeszła do niego Merrin.

– Wiem, że jesteś silny dla nas wszystkich. – Zawsze była w stanie go przejrzeć. – Chciałabym tylko, abyś wiedział, że nie musisz być silny dla mnie.

Dotknęła palcami grzbietu jego dłoni, po czym odwróciła się, nim Mason zdołał cokolwiek powiedzieć. Poczuł przypływ ciepła i zimny, trujący gniew na to, jak się wobec niej zachował.

Zobaczył Toma wchodzącego do sieci za pośrednictwem terminala na ścianie. Na tyle daleko, aby zachować spory dystans do reszty.

– Elizabeth – wyszeptał Mason – przekazuj głos z terminalu Toma.

– Powiedziałam kadetowi Rennerowi, że jest dla niego wiadomość od kapitan Renner, sporządzona na wypadek jej śmierci.

– Czekaj... – zaczął Mason.

Usłyszał kliknięcie, po czym od razu w jego uchu rozległ się głos kapitan Renner:

– ...obejrzysz to, jeśli coś mi się stanie. Naprawdę mi przykro z tego powodu. Kiedy byłam z tobą w ciąży, wiedziałam, że będzie coraz trudniej. Chciałam ci zapewnić dzieciństwo, na jakie zasługiwałeś. Wiesz, mając pieniądze babci, mogliśmy kupić jeden z tych wielkich domów na Ziemi, z dużym trawnikiem i tak dalej.

„Wyłącz to" – pomyślał Mason, ale nie powiedział. Wstyd mu było, że słucha czegoś tak prywatnego, ale nie mógł się powstrzymać. Z dala widział twarz kapitan na ekranie terminala.

– Chciałam tego dla nas. Ale zagrożenie dla naszego gatunku jest zbyt poważne i miałam nadzieję, że zrozumiesz, dlaczego ja i twój ojciec dokonaliśmy innego wyboru. Myślę, że naprawdę to rozumiesz. Dlatego jestem tutaj, aby powiedzieć ci, iż jest mi przykro, że nie mogłam dać ci normalnego życia. Przykro mi, że tak bardzo na ciebie naciskaliśmy i tak wiele od ciebie wymagaliśmy. Przepraszam, że czasami wydawaliśmy się tacy chłodni. Chciałam jednak, kochanie, żebyś był twardy. „Twardy żołnierz to silny żołnierz, a silny żołnierz to żywy żołnierz". Dziadek powiedział mi to, kiedy byłam mała, mówił, że tak właśnie przetrwał te zimne noce na Tytanie. Miałam nadzieję, że będę żyła na tyle długo, iż zobaczę razem z tobą koniec wojny, ale to nie jest teraz ważne. Chciałam dać ci życie, o jakim marzyłam, kiedy to się skończy. Bezpieczne. Teraz ojciec będzie musiał ci to dać, a jeśli i jego nie będzie, wiem, że znajdziesz je sam. Ponieważ jesteś silny. Masz w sobie i mnie, i tatę, wiem, że to więcej, niż Tremiści wytrzymają. Tak mi przykro, maleńki. Mam nadzieję, że nigdy nie będziesz musiał tego oglądać.

Tom stał przy terminalu jak posąg, ze spuszczoną głową.

Mason poczuł ucisk za oczami, pożałował, że nie nosi już hełmu. Pomyślał o własnej matce, o dniu Pierwszego Ataku. Rodzice wychodzący pospiesznie, spóźnieni na spotkanie. Matka pocałowała go szybko w policzek i wyszła. Odwróciła się jeszcze, powiedziała: „kocham cię" i się uśmiechnęła. „Ja ciebie też" – odparł wtedy Mason. A potem drzwi się zamknęły i nigdy już nie zobaczył swoich rodziców.

Nie myśl o tym teraz. Prowadź. Dowódź swoimi żołnierzami. Potrzebują cię. Odegnał wspomnienia, poczuł pustkę.

Stojąc przy terminalu, Tom zakrył dłońmi oczy, a kiedy odwrócił się do grupy, były już wolne od łez. Wyglądało to tak, jakby wiadomość uwolniła coś, co tkwiło wewnątrz niego. Nie sprawiał wrażenia przytłoczonego, raczej był bardziej promienny.

Mason szybko odwrócił wzrok i kazał wszystkim, aby ustawili swoje strzelby na paraliżowanie. Chciał Tremistów żywych. Mało prawdopodobne, aby król zechciał ich wymienić na kogoś z załogi ZDK, ale może zdołają dowiedzieć się od nich czegoś o broni i zamiarach króla.

Kadeci postąpili zgodnie z rozkazem, lufy ich strzelb zaszumiały, zmieniły kolor na zielony i biały.

– Kapitanie – powiedziała Elizabeth do jego ucha, podczas gdy kadeci zapoznawali się ze swoją nową bronią. Kilku ćwiczyło postawy strzeleckie; Tom pokazywał grupce, jak sprawdzić broń, aby upewnić się, że działa jak najlepiej. Merrin robiła z pozostałymi ćwiczenia rozciągające.

– Co jest?

– Obawiam się, że źle obliczyłam liczbę Tremistów na pokładzie.

Poczuł, że coś go ściska za gardło. Na pokładzie było ich w rzeczywistości pięćdziesięciu. A może stu. Albo pięciuset. Nadlatywały kolejne jednostki Tremistów. „Stop" – pomyślał. „Poczekajmy na analizy".

– Tak? – powiedział.

– Jest jeszcze jeden Tremista, ale ukrywał się przede mną.

Żadnej ulgi. Jeden Tremista – w porządku, ale nie taki, który ukryłby się przed Elizabeth.

– Jak... jak to możliwe?

Elizabeth jakby się zawahała. To nigdy nie był dobry znak.

– To Rhadgast, sir.

Mówiła na jego osobistym łączu, więc nikt inny tego nie słyszał.

– Możesz powtórzyć?

– Rhadgast.

Teraz Mason naprawdę chciał uciec. To słowo zmroziło mu krew.

– To oni istnieją naprawdę?

Rhadgastowie byli mitem, czymś, o czym żołnierze rozmawiali, ale na co nie znaleziono dowodów. Uważano ich za Tremistów, ale innego rodzaju. Niektórzy mówili, że są w stanie panować nad magią. Rhadgast prawdopodobnie oznaczał w języku Tremistów czarodzieja, ale to również nie było pewne. Mason wiedział o nich tylko tyle, że są ciemni, poruszają się jak pająki i mogą kontrolować błyskawice swoimi dłońmi. Na statku kosmicznym była to niebezpieczna rzecz.

– Oni istnieją naprawdę? – spytał ponownie. Jeremy patrzył właśnie na niego, ale kiedy Mason to zauważył, zaczął udawać, że przygląda się swojej strzelbie.

– Tak sądzę, sir. Pasuje do wszystkich raportów.

– Gdzie jest teraz?

– Nie mogę tego dobrze odczytać. Zakłóca moje sensory. Myślę, że jest w pobliżu komory nieważkości, dwa, może trzy poziomy wyżej.

Wtedy przyszedł mu do głowy pomysł, jak sobie z nim poradzić. Jeśli uda się go zwabić w pułapkę. Odwrócił się do Toma, który demonstrował jakiemuś pierwszoroczniakowi, jak należy trzymać strzelbę.

– Czy możesz włączyć i wyłączyć grawitację w komorze? Na mój rozkaz? Tym? – Wskazał na tablet, który Tom nosił przy pasie.

Tom przez dwie sekundy patrzył na niego z irytacją, aż Mason zamierzał zapytać ponownie. Potem odparł:

– Tak, choć od wydania rozkazu do jego wykonania minie sekunda. Posłużę się TYM. A tak w ogóle, to się nazywa tablet.

Merrin podniosła własny.

– Właściwie to jestem w tym szybsza niż Thomas.

Tom uniósł brew.

Merrin uśmiechnęła się zaciśniętymi wargami i pomachała urządzeniem.

– „Bądź dumny ze swego munduru, ale nie ze swoich umiejętności". Podręcznik ZDK, strona trzydziesta siódma, rozdział „Wskazówki dla kadeta".

– Ona... może być szybsza – powiedział Tom. – Ten wniosek nie został potwierdzony.

Mason nie mógł się uśmiechnąć, nie teraz, gdy stawką było życie tylu osób. Ale zrobił to w duchu.

– Świetnie. Wspierajcie siebie nawzajem. Czekajcie na mój rozkaz.

Zadziwiające było, jak nasienie planu mogło zająć jego umysł, nawet jeśli teraz widział tylko zarys.

– Co Tremiści teraz robią? – spytał Elizabeth.

– Przenoszą do komory ciała zabitych żołnierzy ZDK. Zakładam, że chcą je wyrzucić w kosmos.

Nagły wybuch gniewu, bardziej gorącego niż główny silnik „Egiptu", wypalił strach. Mason był za to wdzięczny, miał nadzieję, że ten stan potrwa dłużej.

Kadeci byli uzbrojeni i czekali. Zastanawiał się, czy powiedzieć im o Rhadgaście, ale wiedział, że strach, jaki informacja wywoła, może im zaszkodzić. Nie przygotuje ich to także do walki, ponieważ nikt nie przeszedł szkolenia na taką okoliczność. To było jak kłamstwo, ale to nadal było najlepsze wyjście.

– Jesteśmy gotowi, kapitanie – powiedział cicho Stellan.

Skinął lekko głową, a Mason uświadomił sobie, że Stellan nie tyle nazwał go kapitanem, ile usiłował utrzymać atmosferę jedności pod dowództwem Masona. Chłopak docenił to bardziej, niż mógł okazać. Mason powiedział im, jak w ogólnych zarysach wygląda plan, mając nadzieję, że reszta pojawi się już po drodze.

– Słuchajcie mojego głosu – powiedział. – Róbcie, co mówię i kiedy to mówię, a uda nam się dotrzeć do domu. Jasne?

– Tak, sir – odparli chórem. Merrin uśmiechnęła się chytrze, a Tom pokiwał twierdząco głową.

Potem ruszyli w stronę łącznika, aby stawić czoła wrogowi.

Rozdział 15

Mason poprowadził piętnastu kadetów (dziesięciu chłopców i pięć dziewczyn) w dwóch luźnych szeregach wzdłuż drugiej ładowni. Pusta przestrzeń porażała swoim ogromem; Mason przyglądał się jej, usiłując wyobrazić sobie, że każdy centymetr kwadratowy jest zajęty przez sześcian. Tutaj wszystkie poziomy były otwarte, pełne głębokich cieni i plam mroku.

Rhadgast z łatwością mógłby się gdzieś ukryć. Wzrok chłopaka przeskakiwał z miejsca na miejsce, szukając ducha, ale napotykał tylko śpiące myśliwce „Lis". Były to jednoosobowe pojazdy kosmiczne posiadające dopalacze z każdej strony, co pozwalało na szaleńczo szybkie manewrowanie. Miały kształt grotów strzał, a całe uzbrojenie było zamontowane pod spodem, niemal jak na „Sokołach". Zapamiętał sobie, gdzie stoją, na wypadek, gdyby miały się potem przydać. Nigdy nimi nie latał, ale znał podstawy z kursu „Pojazdy kosmiczne ZDK. Część 2".

Kiedy przechodzili do drugiego walca, Elizabeth znów nie mogła znaleźć Rhadgasta. Potem odmówiła potwierdzenia, czy w ogóle go widziała. Twierdziła, że jej systemy mogły być uszkodzone, a ona o tym nawet nie wiedziała. Oznaczało to, że jeśli Mason chciał być czegoś pewien, musiał całkowicie polegać na zmianach wprowadzanych przez Toma i Merrin. Na razie okręt był nawiedzony, a on był jedyną osobą, która o tym wiedziała.

Kiedy dotarli do wrót komory nieważkości, Mason zatrzymał wszystkich. Trzeba przyznać kadetom, że trzymali fason. Żaden z nich nie trząsł się ze strachu ani nie drżały mu wargi, nawet jeśli wewnątrz byli śmiertelnie przerażeni. Mason był. Instruktor powiedział mu kiedyś, że jeśli nie nazywasz tego strachem, to nie może być strach. Teraz te słowa brzmiały całkowicie fałszywie. Jednak jego podkomendni umiejętnie go skrywali, a Mason miał nadzieję, że to przełoży się na dobre celowanie i szybki czas reakcji.

Zorientował się, że powinien teraz coś powiedzieć. Dlatego powiedział:

– Mierzcie dobrze. Zamiast walić na oślep, lepiej poczekajcie chwilę. Uważajcie, żeby nie postrzelić siebie nawzajem.

Jeremy podszedł do niego.

– Jeśli jeden z Tremistów zostanie trafiony kilka razy, zacznijcie strzelać do innego. Nie bądźcie zbyt wolni, ale też i nie szalejcie.

Potem odezwała się Merrin:

– Dla przypomnienia – powiedziała z uśmiechem, a Mason musiał przyznać, że to był najpiękniejszy jej uśmiech, jaki kiedykolwiek widział – eliminujemy tych gości, wtedy zostają nam tylko ci na mostku. A potem trafiamy do podręczników.

Mason stłumił uśmiech. Przed walką kapitanowie się nie uśmiechają. Pozwolił sobie jednak okazać swoim ludziom aprobatę.

– Pokażmy im, z czego są zrobieni kadeci ZDK.

W normalnych warunkach teraz rozległyby się śmiechy. Ale to była wojna. Kadeci, którzy byli przyjaciółmi, poklepywali się po plecach i kiwali głowami, a kilku nawet się uśmiechnęło. Mieli swoje strzelby fotonowe. Byli tak gotowi, że bardziej już nie mogli.

„Egipt" bez ostrzeżenia przyspieszył. Mocno. Lecieli już od pewnego czasu, ale teraz szybkość była tak duża, że aby utrzymać równowagę, musieli stać na rozstawionych nogach. Dokąd?

– Elizabeth? Nasze położenie – powiedział Mason.

– Jesteśmy w systemie Coffey, kapitanie Stark – powiedziała mu do ucha.

System Błękitnej Nori. Trzysta dwa lata świetlne od Ziemi. Tremiści mieli bramę i zamierzali się nią posłużyć. Wszystko działo się zbyt szybko. Mason musiał NATYCHMIAST odzyskać mostek.

– Czy „Sokół" króla nadal jest w pobliżu?

Kolejna chwila ciszy.

– Kapitanie, wyłączyli moje skanery dalekiego zasięgu. Jestem ślepa.

Wyglądało na to, że Tremiści na mostku przejmowali Elizabeth po kawałku. Wkrótce znajdzie się całkowicie pod ich kontrolą.

Czas ruszać.

– Jakieś pytania? – zwrócił się do grupy.

– A co z Rhadgastem? – spytał Jeremy.

Mason zacisnął zęby.

– No co? – Jeremy rozejrzał się dookoła. – Słyszałem, jak Elizabeth o tym mówiła.

Kadeci byli poruszeni, przestępowali z nogi na nogę, szepcząc to słowo niczym złą nowinę.

– Przepraszam – powiedziała Elizabeth.

Mason uniósł dłonie, kadeci ucichli.

– Jeśli jest tu Rhadgast, uporamy się z nim wspólnie. Jest zrobiony z takiej samej materii jak my.

– Tego jeszcze nie wiadomo – pospieszył mu z pomocą Stellan.

– Wszystko składa się z atomów – odparła Merrin.

– Słyszałem, że zabierają dusze – powiedział jeden z kadetów, chudy chłopiec z brązowymi włosami.

– Tak! Słyszałam też, że piją krew jak wampiry – dodała dziewczyna, na oko sądząc, z drugiego roku.

– Kosmiczny wampir – dodał ktoś.

– Starczy – powiedział Mason. – Jeśli chcecie biec do wahadłowców i zaryzykować spotkanie z kosmosem, nie będę was zatrzymywał. – Spoglądał w oczy kolejnych osób, aż był tak pewny, jak to tylko możliwe, że jednak będą razem. – Czy jesteście z ZDK?

– Tak jest, sir – powiedziała Merrin. Mrugnęła, ponieważ oboje wiedzieli, że po tym wszystkim, co razem przeszli, zwracanie się do niego „sir" było zwykłym dowcipem.

– No, to do roboty – zakomenderował.

Obok wrót znajdowały się cztery guziki, trzy zielone i jeden czerwony. Przycisnął wszystkie trzy naraz i wrota stanęły otworem. Poczuli podmuch. Wejście do pomieszczenia niemal tak wielkiego jak ładownia, wymagało pewnej odwagi. Wrota prowadziły w pustkę, ściany ciągnęły się wiele, wiele poziomów w dół.

Na tyle wysoko, że widziane z góry magnetyczne podnośniki wyglądały jak zabawki. Bez wychylania się nie sposób było zobaczyć wyższych poziomów: występ zasłaniał widok.

Jednak kapitan musiał iść pierwszy. Mason wziął głęboki oddech, chwycił futrynę i skoczył w przepaść.

Rozdział 16

Kiedy wyskoczył, jego serce przestało w końcu tak walić – częściowo dlatego, że nie musiało już działać mocniej w związku z ciążeniem, a częściowo z ulgi. Nie spadł, tylko unosił się w stanie nieważkości.

Poziom, na którym stali kadeci, znajdował się prawie w połowie wysokości komory, która – podobnie jak ładownia – miała dwadzieścia poziomów. Jednak komora była węższa, jak prostopadłościan ustawiony na ścianie o mniejszej powierzchni, a zamiast otwartych platform w ścianach rozmieszczono kolejne wrota, pomiędzy nimi zaś uchwyty do poruszania się. Wyglądały jak blizny i były jedynym ratunkiem dla znajdujących się w środku, gdyby grawitacja nagle wróciła. Mason wyraźnie widział namalowaną liczbę 11 – tyle poziomów dzieliło ich od dna.

Mason leciał szybciej, niż się spodziewał, ale to nie stanowiło problemu; po prostu obrócił nogi tak, aby wylądować na nich na ścianie, ku której pędził. Ugiął kolana i przyjął impet uderzenia, sięgając do najbliższego uchwytu. Zatrzymał się tam, po drugiej stronie wejścia, w którym kulili się kadeci, mając pod sobą jedenaście, a nad sobą dziewięć poziomów pustki.

Będąc bezpiecznie umocowanym na ścianie, spojrzał w górę. Obok zewnętrznych wrót trzej Tremiści ustawiali w szeregu ciała zabitych. Przełknął ślinę, czując się nieco zdezorientowany, ponieważ Tremiści stali na suficie, jakby to była podłoga. Ich głowy były bliżej niego niż nogi. Mason przez chwilę poczuł się tak, jakby to on wisiał głową w dół. Jakby podłoga pod nim, z magnetycznymi podnośnikami, tak naprawdę była sufitem.

Otrząsnął się z tej iluzji najlepiej, jak potrafił, usiłując pamiętać, że może uczynić każdą powierzchnię podłogą, zależnie od tego, jak sobie zażyczy.

Martwi żołnierze byli przymocowani do sufitu, czarne worki na zwłoki ZDK zostały w jakiś sposób zabezpieczone. Mason dotknął miejsca za uchem.

– Elizabeth?

– Tak, kapitanie.

Mason machnął ręką na kadetów i ci zaczęli skakać jeden za drugim do komory.

– Czy mają grawitację ustawioną na sufit, czy używają magnesów?

Tremiści nadal trwali z nogami na suficie. Jeden patrzył na niego, a wtedy także dwaj inni dostrzegli kadetów wlatujących do pomieszczenia, odbijających się od ścian. O to chodziło. Tremiści ich zauważyli i z pewnością nie pozwolą, aby banda kadetów ZDK szwendała się swobodnie.

– Wybierzcie cele! – krzyknął Tom.

Trzej Tremiści sięgnęli po swoją broń, ściągając ją z pleców. Mason modlił się, aby plan wypalił. Musiał ufać, że ich pazury nie zadziałają. Inaczej w ciągu kilku sekund wytłuką kadetów, którzy poruszali się i przelatywali od ściany do ściany między poziomami dziewiątym i trzynastym, wyglądając jak muchy uwięzione w szklanym cylindrze.

– Używają grawitacji, aby trzymać się na suficie, i magnesów do mocowania worków – powiedziała Elizabeth. – Sir! Pazury się ładują. Jeśli znajdą otwartą częstotliwość, ich broń będzie w stanie strzelać!

– Przecież powiedziałaś... – Przerwał. Dostrój się, dostosuj... nie wnikaj. – Tom! Merrin!

Tom i Merrin byli po drugiej stronie komory. Merrin skinęła głową do Toma, który odepchnął się i poleciał w stronę Masona. Ten rzucił okiem w górę: Tremiści usiłowali wyjaśnić, dlaczego ich broń nie chce strzelać.

– Ładują się! – powiedziała Elizabeth. – Będą mogli strzelać za sześć do dziewięciu sekund!

Tom podleciał do Masona, trzymając w wyciągniętych rękach tablet.

– Co jest?

– Wyłącz grawitację na suficie!

– Łapcie się uchwytów! – krzyknął do wszystkich Jeremy. Kadeci przestali krążyć od ściany do ściany i chwycili za klamry. Rozstawili się w miarę równo, aby w grupach nie stanowić łatwiejszego celu.

Tom już przywołał na ekran komendy zarządzające grawitacją w komorze i stuknął w kilka klawiszy. Dwie sekundy później Tremiści unosili się swobodnie, lecz worki na zwłoki pozostały w miejscu, trzymane przez magnesy.

– Ognia! – krzyknęła Merrin.

Trzej Tremiści musieli się zorientować, że unosząc się w otwartej przestrzeni, są idealnym celem, więc skoczyli jednocześnie w dół, w stronę znajdujących się pod nimi kadetów. Kadeci, trzymając się uchwytów jedną ręką i obiema nogami, otworzyli ogień ze swoich strzelb fotonowych. Obecnie wystrzeliwane przez nie kule były biało-zielone. Poszybowały przez komorę, skręciły w stronę sufitu i uderzyły o ściany, pozostawiając dymiące plamy wielkości pięści. Tremiści lecieli zbyt szybko, prosto na nich. Mason patrzył, jak kilku bardziej odważnych i większych kadetów zderzyło się z dwoma wrogami w powietrzu, wymieniając ciosy i kopnięcia. Swoją strzelbą namierzył trzeciego, ale nie chciał ryzykować trafienia któregoś ze swoich; teraz Tremiści byli już wśród nich, między dziewiątym a trzynastym poziomem.

Niedobrze. Zaczną strzelać, kiedy tylko znajdą się w odpowiedniej odległości. A Mason nie godził się na żadne ofiary. Istniał inny sposób.

– Nie! – krzyknął. – Odskok! Odskok! Pod ściany! Przerwać ogień!

Nie wahali się. Kadeci walczący z Tremistami odepchnęli przeciwników i też złapali za uchwyty. Jeden z nich przypadkiem wpadł na Toma, któremu tablet wypadł z ręki, zawirował w powietrzu, a chłopak w panice ledwo go dosięgnął.

Tremiści dryfowali teraz w przestrzeni. Dwaj z nich wyglądali na nietkniętych, lecz lustrzana maska trzeciego była pęknięta wzdłuż szczęki.

Wszyscy mieli swoje pazury.

– Ładowanie pazurów zakończone! – powiedziała Elizabeth. – Mogą strzelać!

Mason widział, jak trzy pazury z trzaskiem budzą się do życia, migocząc zieloną energią.

– Trzymać się! – krzyknął. Kiedy upewnił się, że wszyscy kadeci są bezpieczni przy ścianach, nad nim albo pod nim, zawołał: – Merrin! Grawitacja!

Merrin posłużyła się swoim tabletem, wysuwając z przejęcia język, a promień z pazura zaczął orać ścianę obok głowy Masona. Chłopak odchylił się, nie puszczając uchwytów, nie odważył się ryzykować ich zmiany.

– Kiedy tylko będziesz mogła! – Całe jego ciało było spięte, spodziewał się, że zaraz poczuje gorące, śmiertelne ukąszenie.

Tymczasem wróciła grawitacja.

Krew krążąca w jego ciele, dotąd nieważka, teraz nabrała wagi, a on trzymał się klamry, podobnie jak pozostali kadeci.

Jednak Tremiści nie mieli się czego trzymać. Spadli dziesięć poziomów w dół, nie krzycząc ani nie wymachując rękami, po prostu polecieli jak kamienie. Mason patrzył, jak uderzają o podłogę między podnośnikami, każde uderzenie odbijało się drżeniem w ścianach. Rozległy się niepewne wiwaty, bo kadeci ze wszystkich sił trzymali się teraz uchwytów.

– Wyłącz grawitację – powiedział Mason. Obserwował Tremistów, oczekiwał, że się poruszą, ale nic takiego się nie stało. Nikt nie przeżyje upadku z wysokości dziesięciu poziomów. Nawet kosmiczne wampiry.

Merrin kiwnęła głową.

– Gotowe.

Chwilę później Mason odepchnął się od ściany. Pozostali zrobili to samo, obracając się, wpadając na siebie, wywijając koziołki do przodu i w tył. Nadal czekała ich walka o mostek, na którym znajdowało się ośmiu Tremistów, ale zwycięstwo smakowało wspaniale. Przeliczył szybko kadetów: byli wszyscy. Po kilku sekundach okrzyki radości zmieniły się w westchnienia. Mason odepchnął się na ukos od ściany, by przemieścić się bliżej Toma i Merrin, którzy utkwili wzrok w suficie.

Spojrzenie Masona podążyło w górę. Do komory, przez wrota w suficie, wpadł Rhadgast.

Rozdział 17

– Klamry! – krzyknął Mason, a ostrzeżenie wróciło echem do kadetów. Poruszali się niewprawnie, usiłując dotrzeć do najbliższych uchwytów. Stark właściwie tego nie widział. Patrzył na spadającego Rhadgasta. Czarodziej Tremistów zdawał się używać mocy, kiedy korygował w locie ułożenie ciała tak, aby opadać nogami do przodu. Obszerna czarna szata łopotała w powietrzu niczym skrzydła. Jego maska nie odbijała światła jak u innych Tremistów, a widoczna za przesłoną blada twarz pulsowała fioletowym światłem. Ten widok wstrząsnął Masonem do głębi. To było jak spoglądanie w twarz demona. W jednej chwili kapitan SS „Egipt" zniknął i Mason na powrót stał się kolejnym kadetem, który próbował udawać dorosłego.

Rhadgast nosił sięgające do łokci szkarłatne rękawice, trzaskające fioletowymi wyładowaniami. Świetliste węże elektryczności pełzały po rękach w dół i w górę. Komorę wypełnił niespodziewany błysk światła, pochodzącego z rękawic. Jedno z wyładowań wystrzeliło do przodu i trafiło najbliższego kadeta, wprawiając go w drgawki. Ktoś krzyknął. Mason miał nadzieję, że to nie był jego własny krzyk. Zamrugał oczami, by pozbyć się powidoku, a kiedy spojrzał na trafionego kadeta, ten wrzeszczał, a jego mundur dymił. To przywróciło

Masonowi przytomność umysłu; zranienie jednego z jego podkomendnych wyostrzyło mu zmysły i zmieniło gniew w coś, co mógł wykorzystać.

– Rzućcie broń! – głos Rhadgasta brzmiał jak połączenie syku węża i komunikatu wygłoszonego przez maszynę.

– Ta, jasne – mruknęła Merrin.

– Ognia! – krzyknął w odpowiedzi Mason.

W jednej chwili blask wystrzałów rozjaśnił komorę. Rhadgast zawinął się w niemożliwym do wykonania piruecie, opadając i wznosząc się niczym pływający w powietrzu rekin, unikał fotonowych kul, które w porównaniu z nim wydawały się powolne.

Noga trafionego następną błyskawicą kadeta zajęła się ogniem. Mason nie przestawał strzelać, ale dostrzegł kątem oka, że chłopak usiłuje ugasić płomienie dłonią. Na szczęście w pobliżu był Stellan, który pomógł je stłumić. Mason próbował przewidzieć ruchy Rhadgasta, ale żadna z fotonowych kul nawet Tremisty nie musnęła. To nie miało sensu, wkrótce ich broń się przegrzeje i znajdą się na łasce i niełasce potwora.

Mason wiedział, co musi teraz zrobić. Rhadgast albo ich zabije, albo rozbroi, a żadna z tych opcji nie była odpowiednim rozwiązaniem.

Co by zrobiła Susan?

– Przygotuj się, Tom! – krzyknął.

Nie mógł powiedzieć nic więcej, żeby Rhadgast nie pojął, co zamierza. Musiał mieć nadzieję, że Tom będzie tak szybki, jak wszyscy myśleli. Nie prosił Merrin, ponieważ wiedział, że ona tego nie zrobi. Nie ma najmniejszych szans.

Tom zrozumiał. W jego oczach pojawił się szacunek, dla Masona i ofiary, jaką ten zamierzał ponieść.

– Tak jest, kapitanie – zabrzmiała odpowiedź.

– Ej!

Wrzask kapitana Starka przyciągnął uwagę przeciwnika. Rhadgast obrócił się w powietrzu, a Mason zastanawiał się, czy wróg nie ma przypadkiem wszytego w szatę czegoś w rodzaju systemu napędowego, może jakiś pas wytwarzający grawitację, kiedy ta nie występuje. A może jednak posługuje się czarną magią albo jest duchem? Patrząc, jak maska na twarzy Rhadgasta błyszczy jak supernowa, a poły jego szaty wiją się niczym węże, Mason obawiał się, że te ostatnie przypuszczenia mogą być zgodne z prawdą.

Rękawice Rhadgasta bzyczały elektrycznością, taki sam dźwięk wydawały na kilka sekund przed wystrzałem. Mason podkurczył nogi, po czym odepchnął się mocno, wzlatując poziom wyżej i unikając trafienia w miejscu, gdzie przed chwilą był. Poczuł falę wyładowania statycznego, mrowiącą skórę pod pancerzem. Cieszył się, że mu się udało, ale zabawa dopiero się zaczęła, nadal musiał odwracać uwagę Rhadgasta.

– Nieźle! – krzyknął z nowego miejsca, na ścianie po przeciwnej stronie komory. Nie miał czasu na wymyślanie bardziej ciętej riposty.

Mason grał na zwłokę, by dać czas Tomowi. Myśl o tym, co musi zrobić, bolała, ponieważ nie chciał pozostawiać kadetów bez opieki. Ale może zobaczy mamę i tatę, może go będą pamiętać. Może zobaczy się z siostrą. I niezależnie od wszystkiego, nigdy nie będzie się już musiał bać.

Większość kadetów znalazła uchwyty. Pozostało tylko kilku maruderów, ale i oni za kilka sekund dotrą pod ściany. Serce Masona waliło tak mocno, że aż bolało. Jeśli uda mu się wyeliminować Rhadgasta, Tom i Merrin będą w stanie odzyskać mostek. Miał pewność, że dadzą radę. Byli odważni i wiedzieli, o jaką stawkę toczy się gra. Jego śmierć będzie tego warta.

Rhadgast przyglądał mu się teraz, jakby to, że Mason uniknął jednego z jego ataków, zrobiło na nim wrażenie. To dobrze. Jednak chłopak musiał ruszać natychmiast. Mógł mieć tylko nadzieję, że wszyscy się mocno trzymają.

– Co ty robisz...?! – krzyknęła Merrin. – Mason, nie!

Podkurczył nogi i rzucił się poziomo przed siebie.

Rhadgast zamierzał go porazić błyskawicami, ale musiał unieść ręce, aby złapać Masona, kiedy ten na niego wpadł.

– Teraz, Tom!

Tom wiedział, co robić. Grawitacja wróciła, nie wirowali już, lecz spadali, tak samo jak wcześniej trzej Tremiści. Rhadgast ryknął i usiłował odepchnąć Masona, ale chłopak się trzymał, mocno zamykając oczy. Miał nadzieję, że uderzenie o ziemię nie będzie bardzo bolało.

Pęd powietrza ryczał mu w uszach.

Merrin z całej siły wykrzykiwała jego imię.

Rhadgast zaczął uderzać w niego wyładowaniami z obu rąk, prąd sprawił, że Mason zacisnął szczęki.

Jego skóra ożyła, łaziło po niej mnóstwo gorących, bzyczących czerwonych pszczół, które żądliły każdy centymetr ciała. Język dostał się między zęby i usta wypełniła ciepła krew. Zbierając całą siłę, obrócił się w uścisku Rhadgasta, aż mógł wbić kolana podkurczonych nóg w jego klatkę piersiową. Obok przelatywały numery poszczególnych poziomów. Widział 6, potem 5. Chwile, aby jeszcze pożyć. Minęły niemal dwie sekundy, może dłużej, ale wydawało się, że trwają całe życie. Kiedy minęli poziom czwarty, spłynął na niego spokój, ale Mason odrzucił go. Nie chciał być spokojny, nie tak szybko. Nie chciał niczego przyjmować, nie chciał umierać w uścisku wroga.

Mason krzyknął i odbijając się rękami i kolanami, usiłował oderwać się od piersi Rhadgasta. Udało mu się i w tym samym momencie kopnął, tak jakby odbijał się od dna sadzawki, aby wypłynąć na powierzchnię. Spadali teraz za szybko, aby dostrzec numery, ale wydawało mu się, że numer czwarty był tak dawno temu.

W następnej chwili usłyszał, jak Rhadgast uderza o ziemię...

I grawitacja zniknęła.

Podłoga wciąż gnała ku niemu, ale nogi Masona były już skierowane w dół. Upadł mocno na kolana i poturlał się po podłodze, aż wpadł plecami na jeden z magnetycznych podnośników. Podniósł się, roztrzęsiony i poobijany, ale to uderzenie było zaledwie ułamkiem tego, co by poczuł, gdyby spotkał się z dnem komory z pełną siłą.

– Nie ma za co! – zawołał ktoś wysoko w górze.

Mason zamrugał szybko, oczyszczając umysł, i spojrzał do góry. Tom trzymał się dalej ściany, unosząc tablet. Wyłączył grawitację, kiedy tylko Rhadgast uderzył o ziemię. W przeciągu mniej niż sekundy. Uratował go. Mason chciał płakać i śmiać się jednocześnie. Żył. Nadal tu był, nadal był gotów do walki. Podobnie jak pozostali kadeci. Ból spowodowany upadkiem słabł, ale wciąż był odczuwalny. Mason obmacał się dwa razy, aby upewnić się, że żadna z kości nie została złamana.

– Melduj... – wymamrotał półprzytomnie.

Stojąc na dnie, spojrzał na czterech Tremistów. Unosili się kilka centymetrów nad posadzką, ich lustrzane maski dziwnie odbijały światło, ale żaden nie ruszał się o własnych siłach. Plany porozmawiania z którymś z wrogów będą musiały poczekać. Miał nadzieję, że kadeci zdołają odzyskać mostek bez zabijania pozostałych. Mason poczuł, że nie przynosi mu to żadnej satysfakcji, tylko ponury chłód w piersi. Słyszał straszny głos, który mówił: „Albo ty, albo oni”.

– Prawy walec jest teraz bezpieczny – powiedziała Elizabeth, zdając się nie zauważać, jak niewiele brakowało do jego śmierci. – Ośmiu Tremistów na mostku jest teraz świadomych waszej obecności, ale przewiduję, że nie będą was ścigać, ponieważ mostek to dobra pozycja obronna.

Wysoko w górze kadeci zaczęli schodzić na dno komory. Tym razem nie cieszyli się i nie gratulowali sobie nawzajem, ponieważ ich ostatni taniec zwycięstwa został brutalnie przerwany przez Rhadgasta, ale się uśmiechali. A Mason odpowiadał im uśmiechem. Z kącika ust wyrwała się na wolność maleńka bańka krwi.

Tom był pierwszy i wystawił pięść, aby Mason mógł w nią stuknąć swoją.

– Dobra robota, Stark – powiedział.

Kadeci byli już na podłodze, więc przywrócił ciążenie. Mason opadł kilka centymetrów, na nogi. Kadeci porażeni przez Rhadgasta byli w lekkim szoku, ale nie odnieśli żadnych ciężkich ran. Wyglądało na to, że Rhadgast nie chciał ich zabijać, tylko złapać.

Merrin podeszła i mocno pchnęła Masona obiema rękami. Zatoczył się do tyłu, uderzając ramieniem o podnośnik.

– Ej!

– Nigdy... – Nie musiała kończyć. Kręciła głową, wargi miała zaciśnięte.

– Przepraszam – zaczął Mason, ale Merrin już podeszła do kadetów zebranych wokół martwego Rhadgasta.

Teraz, kiedy się nie ruszał, nie wyglądał groźnie. Po prostu kolejny Tremista, tylko że w długiej szacie. Wylądował plecami dokładnie na innym Tremiście. Ułamek sekundy, a Mason znalazłby się między nimi.

– Co teraz, kapitanie? – spytał Jeremy, kończąc sprawdzać pazury; wyglądało na to, że upadek zniszczył je wszystkie.

Mason zamierzał powiedzieć: „a teraz odzyskamy mostek", gdy czterej Tremiści na ziemi zaczęli się delikatnie poruszać.

Rozdział 18

– Ee, kapitanie...? – spytał jeden z kadetów.

Tremiści jęczeli, ich kończyny uderzały o ziemię, a pancerze szurały lekko o podłogę.

– Niemożliwe... – szepnął Tom.

Najbliższy Tremista złapał nogę Merrin, krzyknęła i uwolniła się kopnięciem. Mocno fioletowa twarz Rhadgasta zaczęła świecić jaśniej.

Musieli coś zrobić. Natychmiast.

Mason rzucił się w stronę Rhadgasta i złapał go za prawą rękę. Ukłucia wyładowania łaskotały jego dłonie, ale ciągnął mocno, usiłując zerwać rękawicę. Tom szybko się zorientował, co Mason zamierza, i chwycił za drugą. Rhadgast usiłował cofnąć się, ale nadal był zbyt słaby, a Masonowi i Tomowi strach dodawał sił.

– Możesz ich tu zamknąć? – zapytał Mason Toma.

– Ja mogę! – odparł Jeremy.

– Ogłuszcie ich! – rozkazała Merrin kadetom. Kilku z nich wystrzeliło ze strzelb do Tremistów, ale wyglądało na to, że przebudzają się jeszcze szybciej.

– Elizabeth, jak to możliwe, że dalej żyją? – spytał Mason, usiłując zapanować nad drżeniem dłoni.

Niemal ściągnął już rękawicę. Była cieńsza, niż się spodziewał, miękka. Bolało go ciało, a nagły dopływ adrenaliny sprawił, że otarcia piekły jeszcze mocniej.

– Nie umiem odpowiedzieć na to pytanie. Być może ich pancerze posiadają możliwości, o których nie mam informacji.

– Być może! – odparł Mason.

Jeremy pracował na jednym z terminali umieszczonych na ścianie.

– Mogę ich tu zamknąć, ale kiedy Tremiści zdobędą pełną kontrolę nad mostkiem, będą mogli ich wypuścić!

Mason i Tom ściągnęli obie rękawice, po czym się wyprostowali. Rhadgast był już w pełni przytomny i chwycił Masona za kostkę.

– Chłopcze! – zasyczał.

Mason kopnął go w twarz.

– Idziemy! – krzyknął.

Grawitacja zniknęła po raz kolejny, Mason odbił się od podłogi najmocniej, jak potrafił. Kadeci wznieśli się za nim, kierując ku sufitowi. Mason zdjął płyty pancerza z prawej ręki i przedramienia, po czym założył rękawicę. Poczuł, że ta porusza się, dokładnie tak samo jak wcześniej zbroja, kurcząc się, dopóki nie dopasowała się idealnie do jego dłoni. Osłaniała rękę od czubków palców po ramię, gdzie przylgnęła do pancerza. W następnej chwili poczuł, że rękawica łączy się z jego mózgiem w sposób, który niezupełnie pojmował. Teraz była jak druga skóra. Nie sprawdzał jej, ale czuł, że elektryczność jest w jego zasięgu, czeka tylko na rozkaz.

Wznoszący się obok Tom podał swoją rękawicę Merrin. Założyła ją na lewą rękę.

– To ona jest wojowniczką – powiedział Tom, szczerząc zęby.

Tremiści na dole niemal całkowicie oprzytomnieli. Jeden z nich nawet wzniósł się w pościgu. Mason ledwo mógł w to uwierzyć: jak to możliwe, że taki upadek tylko pozbawił ich przytomności? Zbroja musiała być lepsza, niż pierwotnie sądził. A może oni rzeczywiście byli zmiennokształtnymi wilkołaczymi kosmiczno--wampirycznymi widmowymi zombi.

Kadeci po dotarciu do sufitu, przez pionowe wrota dostali się do korytarza, gdzie delikatnie opadali na posadzkę. Ciała załogi nadal znajdowały się w komorze i Mason nie mógł znieść myśli, że musi je tam zostawić, jednak honory można oddać później, kiedy wszyscy będą wreszcie bezpieczni. Załoga pewnie by się z tym zgodziła.

Mason przed zamknięciem wrót poprosił Merrin, aby strąciła ścigającego ich Tremistę. Co też i uczyniła.

* * *

Mason miał nadzieję, że z rękawicami Rhadgasta będzie im łatwiej odzyskać mostek, ale wiedział, że szanse na powodzenie nadal są bardzo małe. Tremiści mieli dobrą pozycję obronną, a kadeci nie mogli już wykorzystać sztuczek z grawitacją. Nie wspominając o tym, że teraz stawali przeciwko ośmiu obcym, nie trzem. Sytuacja wyglądała beznadziejnie. Powinien uratować pozostałych, kazać im wsiadać do wahadłowców, a potem wysadzić „Egipt". Jeśli tego nie zrobi, a Tremistom uda się uzyskać kontrolę nad okrętem, będzie to oznaczać nie tylko koniec przebywających tu kadetów, ale także niezliczonej liczby ludzi. Wrogowi łatwo byłoby przelecieć „Egiptem" na tereny ZDK, po drodze zignorować wezwania do identyfikacji, a potem przypuścić niespodziewany atak na niczego niespodziewającą się bazę. A może nawet na „Olimp".

Jednak w rękach Tremistów wciąż znajdowała się wielka brama i nikt o tym nie wiedział.

Poddanie się nie wchodziło w grę.

– Jeśli nam się nie uda... – szepnął po drodze Mason do Toma. Miał nadzieję, że kolega zrozumie go bez słów. Rzeczywiście tak było.

– Tremiści nie będą zbyt długo kontrolować okrętu – odparł również szeptem Tom, unosząc tablet.

Mason zobaczył zegar odliczający do samozniszczenia, nastawiony na dziewiętnaście minut. Do tego czasu albo przejmą okręt, albo „Egipt" wybuchnie.

Mason kiwnął głową, bo słowa były zbędne. Dziewiętnaście minut i eksplozja rozpyli ich atomy w kosmosie. Myśl ta zmroziła chłopaka tak, że jeszcze bardziej umocnił się w podjętych wcześniej decyzjach. To nie była śmierć godna żołnierza. Dlatego Mason skupił się na zadaniu.

Nadal zadziwiało go, że źródłem elektryczności były rękawice, a nie Rhadgast. To nie byli czarodzieje, tylko po prostu inaczej uzbrojeni Tremiści. Mason podejrzewał jednak, że kryje się w tym coś więcej, inaczej ich legenda nie byłaby tak przerażająca i nie rozchodziłaby się tak szybko. Byliby śmiertelnikami, nie mitami. Zastanowił się, co by się stało, gdyby Rhadgast dopadł ich w warunkach normalnej grawitacji, kiedy kadeci nie mieliby jak uciec i nie mogli zastosować żadnej sztuczki.

Po drodze Merrin i Mason układali plan. Zatrzymali się przy areszcie, aby zabrać z niego kajdanki do unieruchomienia Tremistów, kiedy ci zostaną już ogłuszeni.

Mason dotknął miejsca za uchem.

– Wiesz już może, jak Tremistom udało się przeżyć upadek?

– Nie jestem pewna – odparła Elizabeth. – Nie odnotowałam żadnych oznak życia, potem nastąpiło poruszenie energii wokół pancerzy. Sir, zakładam, że to zbroje są odpowiedzialne za przywrócenie Tremistów do życia. Pole energetyczne mogło wznowić pracę serca i pobudzić centralne ośrodki nerwowe.

Masonowi ciarki przeszły po plecach. „Mam nadzieję, że nie będę musiał sprawdzać tej funkcji na sobie" – pomyślał.

– Nadal znajdują się w komorze nieważkości?

– Tak jest.

– Dobrze. Wyłączaj i włączaj co jakiś czas grawitację na wypadek, gdyby przyszło im do głowy jakoś wyczołgać się stamtąd.

– Tak jest, sir.

Mason uśmiechnął się.

– Co bym bez ciebie zrobił, Liz?

– To byłby poważny problem, sir.

– Wielki. Czy ci na mostku wiedzą, że ich przyjaciele są zneutralizowani?

– Postawiłam barierę komunikacyjną między prawym walcem a mostkiem. Nie przejdą przez nią żadne transmisje radiowe. Może ich to zaniepokoić, ale nie będą mieć pojęcia, co się wydarzyło.

Doszli do schodów, którymi mogli dotrzeć poziom wyżej, tuż przed mostek. Mason jeszcze raz przepowiedział sobie plan. Willa, chuda dziewczyna z piątego roku, zaczęła pocierać oczy i ziewać, aby zmusić je do łzawienia. Jej prawe oko było niebieskie, lewe zielone.

– Jestem gotowa – powiedziała, mierzwiąc palcami rudoblond włosy.

– Mostek wciąż zablokowany – poinformowała Elizabeth. – Wszyscy Tremiści są aktywni.

– Wspaniale – odrzekł Mason.

Szli po schodach powoli, ale ich kroki i tak dzwoniły na metalowych stopniach. U celu Mason otworzył drzwi i wystawił głowę, aby się upewnić: czysto. Wyszli dokładnie pośrodku jasno oświetlonego korytarza. Po drugiej jego stronie znajdowało się jedno z wejść na mostek – szerokie automatyczne drzwi rozsuwające się na boki.

Mason wyszedł ze strzelbą w lewej ręce i rękawicą Rhadgasta na prawej. Framuga kolejnych drzwi zapewniała wystarczającą osłonę. Przecisnął się tam, machnięciem ręki przyzwał Merrin i Willę. Merrin przecisnęła się obok niego i cicho powiedziała: „cześć".

Mason kiwnął głową Willi, która usiadła na środku korytarza, złapała się za kostkę... i zaczęła wrzeszczeć, ile sił w płucach.

Rozdział 19

Długie, przenikliwe wrzaski dźwięczały w uszach Masona. Z oczu Willi popłynęły łzy, kołysała się z boku na bok, kręcąc głową na wszystkie strony.

– Moja noga! – krzyczała. – Pomooocyy!

Minęło dziesięć sekund, kiedy drzwi na mostek otworzyły się z sykiem. Wyszło dwóch Tremistów z pazurami. Mason schował się we wnęce i jednym okiem wyglądał na zewnątrz.

– Cicho! – krzyknął jeden z nich. – Bo cię zastrzelę!

Willa przestała krzyczeć i przewróciła się na bok.

– Boli! Zostawili mnie, zostawili!

– Gdzie reszta? – spytał drugi.

Mason chciał zawołać: „tutaj!", ale w tej chwili nie patrzyli w jego stronę i głupio byłoby zrezygnować z tej przewagi. Toteż wyszedł zza zasłony, uniósł rękę i wystrzelił jednocześnie z rękawicy i ze strzelby. Rękawica potrzebowała tylko jego myśli, a strzelba naciśnięcia palcem. Merrin była tuż obok niego, robiąc to samo. Fioletowe błyskawice, wąskie i starannie wymierzone, leciały korytarzem, aż Tremiści legli w drgawkach na podłodze obok Willi.

– Teraz! – rzucił Mason.

Willa zerwała się na równe nogi, a za nią trzynastu kadetów ze strzelbami gotowymi do strzału. Mason poprowadził szturm na mostek, gdzie pozostało jeszcze sześciu Tremistów. Obcy wręcz znieruchomieli. Masonowi zachciało się śmiać. Widok tak wielu kadetów ZDK wbiegających do pomieszczenia i od razu kryjących się za różnymi pulpitami musiał ich zaskoczyć. W ciągu czterech sekund wszyscy ludzie byli dobrze osłonięci, a w obcych mierzyło szesnaście luf i dwie rękawice Rhadgasta.

Nie padł ani jeden strzał. Wobec takiej przewagi ognia Tremiści nie podnosili pazurów, a kadeci nie chcieli ryzykować uszkodzenia sprzętu. Po tym, w jaki sposób obcy spoglądali na kadetów i jak się poruszali, Mason domyślił się, że boją się rękawic. Pazury na pewno były lepsze od strzelb fotonowych, ale kadeci mieli już wybrane cele. Za kopułą powoli przesuwał się kosmos, czerń ozdobiona białymi gwiazdami. Słońce systemu Coffey lśniło miliony kilometrów dalej niczym biały marmur, a widok na wprost zdominowała zielona kula Błękitnej Nori. Była tak piękna, że Mason musiał się starać, by się na nią nie gapić, tylko skupić na wrogach.

– Połóżcie ręce tak, abym je widział – powiedział, usiłując ukryć radość w głosie; to nie było takie trudne, kiedy przypomniał sobie, że najgorsze dopiero przed nimi. Razem z Merrin trzymali palce wycelowane w Tremistów, pozostali zaś powoli ich okrążali. Mason w napięciu obserwował przeciwników, dopóki kadeci nie zatrzasnęli kajdanek na przegubach wszystkich jeńców, po czym zmusili ich do uklęknięcia.

Willa i drugi kadet z piątego roku, Terrence, podeszli, aby zerwać im hełmy, ale Mason się sprzeciwił, więc się zatrzymali. Nie chciał, aby załoga widziała ich fioletowe włosy i zbyt bladą skórę. Podejrzliwe spojrzenia, jakimi kadeci bez wątpienia zaczęliby obrzucać Merrin, tylko utrudnią wykonanie zadania. Ona sama zdawała się pojmować niebezpieczeństwo, jakie wiązało się z ujawnieniem prawdy, toteż zagryzała nerwowo dolną wargę. Jej usta wymówiły bezdźwięczne „dziękuję", a Mason dyskretnie skinął głową.

– Wszyscy Tremiści zneutralizowani przynajmniej na kolejne trzy godziny – powiedziała Elizabeth przez zewnętrzne głośniki.

Na mostku rozległ się ogłuszający wrzask radości. Kadeci potrząsali strzelbami. Mason był zadowolony, będą potrzebowali tego uczucia, aby działać dalej. Chciał, żeby to zapamiętali, okryli się tym jak pancerzem.

Jeden z Tremistów zaczął się śmiać. Długi, wysoki śmiech, o którym Mason wiedział, że jest wymuszony.

– Z czego się śmiejesz? – spytał Jeremy, podchodząc, aby kopnąć obcego w pierś.

Mason powstrzymał go ruchem dłoni i wystąpił naprzód. Uniósł rękawicę i pozwolił, aby elektryczność przesunęła się po niej.

– Opowiedz ten dowcip, abym mógł się pośmiać z tobą – powiedział.

Tremista pokręcił głową i opanował się.

– Właśnie wyobraziłem sobie, jak król odziera wasze kości z mięsa, kiedy zorientuje się, że wciąż macie jego córkę.

Rozdział 20

Na szczęście tylko Tom i Merrin pojęli, o co chodzi. Inni kadeci nie mieli pojęcia, o czym mówi Tremista. Dlatego Mason kazał Stellanowi, Jeremy'emu, Tomowi i czterem innym z piątego roku postawić obcych na nogi i wyprowadzić z mostka, zanim ktokolwiek zacznie zadawać jakieś pytania. Merrin poszła razem z nimi, ponieważ groźba użycia rękawicy najwyraźniej pomagała utrzymać wrogów w karności.

– Nie podchodźcie zbyt blisko! – zawołał za nimi Mason. Tremiści ręce mogli mieć skute, ale nogi już nie.

Chłopaki częściowo ponieśli, a częściowo pociągnęli również dwóch nieprzytomnych żołnierzy. Mason podszedł do kadeta o kręconych włosach imieniem Andrew, który ciągnął Tremistę za nogę.

– Kiedy skończycie, zluzujcie tych dwoje kadetów w izbie chorych i sprawdźcie, jaki jest stan komandora Lockwooda.

Andrew upuścił nogę Tremisty i najwyraźniej chciał się sprzeciwić, ale Mason tylko uniósł brew.

– Sir, wolałbym tego nie robić – powiedział mimo wszystko kadet.

Mason ściszył głos:

– Widzę oparzenie na twoim karku. Niech się nim zajmą.

Andrew usiłował zasłonić ranę kołnierzem, ale skrzywił się.

– Mogę działać – powiedział.

– Wiem. Upewnij się, że dalej tak będzie.

Andrew kiwnął głową w sposób ni to niechętny, ni to pełen wdzięczności. Mason poklepał go po ramieniu i wrócił na mostek.

Stark pozostał z siedmioma kadetami, którzy teraz wpatrywali się w niego. Stał na nieco uniesionej platformie na środku pomieszczenia, w miejscu, gdzie umieszczono fotel kapitana, ale jeszcze w nim nie zasiadł. To byłoby niewłaściwe. Mostek miał kształt koła z zaznaczonym pośrodku X. Na przecięciu linii znajdował się właśnie fotel dowódcy. Z przodu, po lewej usytuowano konsolę pilota. Po prawej stanowisko kierowania uzbrojeniem. Z tyłu – również rozmieszczone symetrycznie – panele: łączności i inżynieryjny, przy którym zwykle siedziała Susan. Na obwodzie koła rozmieszczono długie, niskie konsole, monitorujące każdą z funkcji „Egiptu" – systemy podtrzymywania życia, sztuczną grawitację, kontrolę wrót.

– Zaraz wrócę – powiedział. – Niech każde z was wybierze stanowisko, które – według swojej oceny – potrafi obsłużyć. Żadnych kłótni. Jeśli nie czujecie się pewnie na mostku, przyda mi się ktoś w pomieszczeniu silników i przy systemach podtrzymywania życia. Jest nas dość, aby obsadzić wszystkie stanowiska.

Patrzyli na niego.

– Do roboty – rozkazał.

Posłuchali.

Mason przyglądał się im przez chwilę, po czym zszedł z mostka i ruszył przez łącznik, by dogonić pozostałych.

– Wiecie, ona jest jedną z nas – mówił idący na czele Tremista do Stellana i Jeremy'ego. – Nie ufajcie jej. Zdejmijcie mi hełm, a przekonacie się.

Mason pogładził go rękawicą, pozwalając elektryczności wypłynąć na powierzchnię. Tremista krzyknął i aż podskoczył.

– Zamknij się – poradził.

Kiedy dotarli do aresztu, Mason posadził każdego Tremistę w osobnej celi i kazał Tomowi włączyć zagłuszanie, aby nie mogli ze sobą rozmawiać. Potem odesłał kadetów z piątego roku z powrotem na mostek. Z osób, które nie znały tajemnicy Merrin, pozostali tylko Stellan i Jeremy.

Mason wszedł do pierwszej celi i gładkim ruchem zdjął hełm dowódcy. Fioletowe włosy tamtego były przylepione do czaszki, fioletowe oczy zwężone, a na twarzy malował się grymas niesmaku, z jakim przyglądał się stojącym przed nim kadetom.

Dopóki nie spojrzał na Merrin.

– Jak widzicie – powiedział Mason – istnieje pewne podobieństwo między Tremistą a Merrin. Nie wiemy, co to znaczy, ale wiemy, że to nieistotne. Merrin jest jedną z nas. Niech to na razie pozostanie między nami. Jeśli dla któregoś z was jest to problem, niech mi powie, a posadzę go w jednej z tych cel. – Ponieważ cel było tylko sześć i wszystkie miały lokatorów, Mason miał nadzieję, że nie zabrzmiało to jak dowcip.

– Zrozumiano – odparli chórem Stellan i Jeremy.

Merrin spoglądała na Tremistę z otwartymi ustami, kręcąc głową tak delikatnie, że wyglądało to jak drżenie.

– Nie...

– Nie wiemy, co to oznacza – powtórzył szybko Mason. – I tak nie jest to istotne.

– Ale podobieństwo rzeczywiście jest – dodał Tom.

– W kolorze włosów i oczu? I co z tego? – spytał Jeremy.

– To może być sztuczka – wtrącił Stellan. – Mówi się, że są zmiennokształtni. A w komorze widzieliśmy, jak szybko potrafią się pozbierać.

W tej chwili, jak nigdy chyba, Mason pochwalał logiczne podejście Stellana. Cieszył się, że nikt nie robi z tego wielkiego problemu. Merrin wbiła wzrok w podłogę, Tremista patrzył na nią, uśmiechając się, jakby chciał powiedzieć: „Ha, ha, i tu cię mam". Masona kusiło całkowicie zaciemnić cele, by nikt nie mógł do nich zajrzeć ani z nich wyjrzeć, ale jeszcze ktoś mógłby pomyśleć, że robi to dla Merrin.

– W porządku? – spytał.

Merrin po chwili kiwnęła głową.

– Dzięki. Ja tylko... chciałabym wiedzieć, co to oznacza.

– Dowiemy się – powiedział krótko Tom, jakby to była najłatwiejsza rzecz w galaktyce.

– Ona nie tylko jest jedną z nas – powiedział Tremista. – To księżniczka. Skradziona rodzicom przez ludzkie śmieci.

Merrin wyprostowała się, wytrzymując spojrzenie.

– Przypomnij sobie dawne życie, księżniczko. Twój ojciec tęskni za tobą.

Mason nie chciał w to uwierzyć, ale pamiętał, jak król rozpoznał dziewczynę na mostku. Jeśli Merrin naprawdę była księżniczką, Mason przeczuwał, że wkrótce znów zobaczą króla i jego „Sokoła". I jeśli dobrze to rozegrają, ten fakt może zadziałać na ich korzyść. Spróbował wyobrazić sobie najlepszą przyjaciółkę jako arystokratkę innej rasy i... po prostu nie mógł. Nie żeby nie wyglądała godnie – w niej było coś takiego, co jeszcze nie do końca był w stanie nazwać. Ale to był zbyt szalony pomysł. Merrin zacisnęła szczęki.

– Dwa dni temu widziałam się z ojcem. Daruj sobie te kłamstwa.

Po tych słowach podkręciła zagłuszanie do oporu, tak aby żaden dźwięk nie mógł do nich dotrzeć ani się stamtąd wydostać. Za plastikową barierą Tremista śmiał się bezgłośnie. Niemal odruchowo Mason wyłączył oświetlenie. Niech siedzą w ciemności.

Cała piątka w milczeniu poszła na mostek. Mason marzył o gorącym posiłku i łóżku, ale te przyjemności musiały poczekać. Minął korytarz prowadzący do izby chorych, rozpaczliwie chciał porozmawiać z komandorem Lockwoodem, zrelacjonować wszystko, co się wydarzyło, jednak byłoby to marnotrawienie czasu. Musieli udać się na Ziemię, upewnić się, że nic jej nie zagraża, a potem na „Olimp", skąd będzie można wysłać sygnał do wszystkich jednostek w galaktyce. Tak długo, jak Tremiści byli w posiadaniu bramy, żadna planeta nie mogła być bezpieczna. To było proste. Wreszcie mogli ogłosić alarm. I może, jeśli będzie spokojnie, zdołają ruszyć tropem królewskiego „Sokoła" i odzyskać załogę.

I Susan.

Mason wrócił na mostek i zastał go... w pełni sprawnym. Najważniejsze stanowiska były obsadzone, kadeci porozumiewali się ze sobą, podając uaktualnione dane okrętu, przesyłając informacje, które przewijały się na czystym fragmencie kopuły – wyraźne litery i cyfry na tle czerni kosmosu.

Tom zajął się kontrolą systemów uzbrojenia, a Stellan podszedł do stanowiska inżynieryjnego. Jeremy pochylił się nad panelem łączności. Merrin, siedząca już w fotelu pilota, wyłączyła autopilota i pozwoliła „Egiptowi" dryfować przez przestrzeń z obecnym przyspieszeniem. Mason wiedział, że każde z nich podczas symulacji walki specjalizowało się w obsłudze tych stanowisk. Teraz przejdą test.

– Gotowa do sprawdzenia systemów, kapitanie – powiedziała Elizabeth.

Stanowiska odzywały się po kolei. Każdy kadet obracał się w swoim fotelu, oznajmiał, czym się zajmuje – grawitacją, atmosferą, systemami podtrzymywania życia, skanerami, tarczami, pomiarem poziomu promieniowania – i dodawał: „w gotowości". Mason słuchał tego, ale nie patrzył na nich, lecz na unoszącą się przed nim Błękitną Nori, świat tak podobny do naszego, zielony i żywy na tle nocy. Na wyświetlaczu została obrysowana konturem, na wypadek, gdyby ją przeoczył.

Wziął głęboki oddech. Wdech, potem wydech. Nie wiedział, czy nie jest za późno, by ostrzec swoich, czy przeczucie go nie myli, nie wiedział, czy mają szanse wygrać. Mason myślał, że jest gotowy. W miejscu, gdzie nie powinno go być, przerażony tak, jak nie sądził, że może być przerażony, a jednak gotowy do wypełnienia swego obowiązku najlepiej, jak tylko potrafił. Susan nie oczekiwałaby niczego innego, podobnie rodzice.

Tom jako ostatni obrócił swój fotel. Uśmiechnął się z wyższością.

– Jesteśmy w pełni uzbrojeni, kapitanie, i w gotowości.

Mason spojrzał na swój fotel. Był ogromny, przeznaczony dla dorosłego. Na podłokietnikach znajdowały się dwa panele z różnymi przełącznikami. Gdyby kapitan chciał pilotować osobiście, mogły się rozchylić i wysunąć dwa drążki sterownicze.

Cała załoga patrzyła, jak wchodzi na podwyższenie i siada na fotelu. Zapadł się w miękkie, wyściełane siedzisko, które dostosowało się do jego wzrostu i wagi. Merrin uśmiechnęła się lekko i odwróciła z powrotem do konsoli pilota. Tom skinął głową i zrobił to samo.

– Brama. – Mason przejął dowodzenie.

Zwalisty kadet drugiego roku siedzący po lewej stronie obrócił swój fotel.

– Gotowa, sir.

– Otworzyć bramę – powiedział Mason. – Kurs na Ziemię.

Rozdział 21

Kadet wpisał na konsoli kilka poleceń. Dwie sekundy później mostek rozbłysnął łagodnym, zielonym światłem, które zbladło do bieli.

– Brama otwarta, sir – zameldował.

Na ekranie panelu inżynieryjnego Mason mógł obserwować, jak z okrętu wysuwa się pierścień srebrzystego metalu. Krąg powoli zaczął się rozwijać, kiedy z rur wysuwały się teleskopowe, zakrzywione elementy. To, co pojawiło się jako małe kółeczko, nie większe od wahadłowca, rozrastało się, aż stało się na tyle duże, że mógł przejść przez nie cały prawy walec. Proces powiększania trwał, dopóki brama nie stała się wielkim srebrzystym kręgiem w przestrzeni, na tyle dużym, aby „Egipt" mógł przez niego przelecieć.

– Naładować bramę – powiedział Mason.

Dłonie miał spocone, w ustach czuł suchość. Jeśli kadet poprawnie wykonał obliczenia, brama powinna złożyć materię przestrzeni tak, aby znaleźli się bardzo blisko macierzystej planety. Na mostku panowała cisza, nikt nawet nie drgnął, jakby wszyscy kadeci wstrzymywali oddech. Mason wstrzymywał go z pewnością.

Za kilka sekund przelecą przez bramę... A co potem? Co miał zrobić? To zależało od tego, co zobaczą po drugiej stronie, ale Mason nie miał pojęcia, czego się spodziewać. Jeśli droga będzie otwarta i „Egipt" przeleci, chłopak nadal nie wiedział, do kogo ma się zgłosić. Wyobrażał sobie, że wysyła wiadomość do wszystkich jednostek floty – coś zarezerwowanego tylko dla najwyższych szarż, tylko w krytycznych przypadkach – i chciało mu się rzygać. „Przestań" – powiedział sobie. „To przecież krytyczny przypadek. Nie popadniesz w kłopoty". Fakt, że odzyskali okręt, powinien przesłonić wszystko inne.

Mason miał nadzieję, że „Olimp" jakimś cudem będzie na nich czekał i on sam tylko otworzy kanał, aby przekazać, co wie, a potem zabierze swoją załogę w bezpieczne miejsce. Chciał tego tak bardzo, że niemal w głowie mu się kręciło od tych fantazji. Natychmiast zorientował się, że właśnie tym były – fantazjami. „Dajcie mi tylko wrócić do Akademii". Nigdy nie czuł większej chęci do dalszej nauki niż w tej chwili.

– Naładowana – powiedział kadet.

Brama leniwie obracała się w prawo.

Przestrzeń wewnątrz pierścienia zaczęła się marszczyć, białe punkciki gwiazd zawirowały w obłędnym tańcu, a potem w ułamku sekundy wszystko to zniknęło, zastąpione wyraźnym, stałym obrazem Ziemi. Pokryta chmurami błękitna planeta wisiała w przestrzeni, wielka jak trzymana na wyciągniętej ręce pomarańcza.

– Co to...? – wyszeptał jeden z kadetów.

– Na Zeusa! – zaklął inny.

Przestrzeń wokół Ziemi nie była pusta.

Wypełniało ją tyle okrętów Tremistów, że nie sposób było ich policzyć.

Ale nie to spowodowało, że Masonowi zakręciło się w głowie tak, iż nie był w stanie wstać z fotela. Szok wywołała rozwijająca się w kosmosie, tuż przed ich oczami, brama. Choć nadal była właściwie sześcianem, proces z całą pewnością już został zainicjowany. Mason nie mógł przewieźć swojej załogi do Akademii. Nie mógł po prostu otworzyć kanału łączności i wrócić spokojnie do nauki. Słodki sen, który śnił jeszcze chwilę temu, okazał się gorzki; chłopak chciał krzyczeć, jak bardzo jest to wszystko nie w porządku.

Sprawy wyglądały gorzej, niż kiedykolwiek ośmielał się pomyśleć.

Tremiści zamierzali ukraść Ziemię.

Rozdział 22

Wyglądało na to, że kadeci pojmują to samo co on. Mostek eksplodował wymianą informacji, podczas gdy sprawdzali po raz kolejny systemy, szykując się do walki. Mason właściwie ich nie słyszał. Z jakiegoś powodu w uszach mu dzwoniło, czuł się trochę słabo, oczy stały się nieco mokre.

„Egipt" jeszcze nie przeleciał przez bramę; nie było za późno, aby pozostać po tej stronie, niedaleko Błękitnej Nori. Wyobraził sobie szybki koniec – chmara maszyn Tremistów mknących w przestrzeni, aby skoncentrować ogień na ich okręcie. Jeśli ich skanery były choćby w połowie tak dobre, jak ludzkie (a czemu miałoby być inaczej), Tremiści dowiedzieliby się o ich obecności niemal natychmiast.

Mason mógł nacisnąć kilka guzików i odciąć zasilanie bramy, przestałaby się obracać i rozpocząłby się proces jej zwijania. Nadal mogli uciec.

Ale wciąż mogli spróbować uratować świat.

Z całą wyrazistością pojął teraz, co jest najtrudniejsze w dowodzeniu – dokonywanie wyborów dotyczących życia INNYCH ludzi.

Musiał dokonać wyboru, nawet jeśli była to ostatnia rzecz, jakiej chciał.

– Ile jest tych okrętów? – spytał Elizabeth.

– Dziewięćdziesiąt siedem – odparł komputer bez emocji.

Poczuł niespodziewane, mocne ukłucie zazdrości. Elizabeth nic nie czuła. Dla niej ta liczba była tylko informacją, nie zapowiedzią nieuchronnej zagłady. A nawet jeśli wiedziała, co to oznacza, prawdopodobnie nie była w stanie się tym przejmować.

– Wśród nich jest „Sokół" króla – dodała Elizabeth, co wyzwoliło w brzuchu Masona chmurę motyli.

– Ile jednostek ZDK jest w pobliżu, Elizabeth? – spytał Tom, przekrzykując harmider. – Ile okrętów?!

Merrin czekała cierpliwie przy konsoli pilota, z dłońmi na sterach, gotowa na rozkaz Masona ruszyć naprzód lub się cofnąć. Nie prosiła o rozkazy, czekała. Mason niemal się modlił, by podjęła decyzję za niego.

– Proszę czekać – powiedziała Elizabeth.

Brama, będąca kiedyś gigantycznym sześcianem, przypominała teraz pająka budzącego się ze snu. Jeden z kadetów powiększył obraz i Mason mógł dostrzec wystrzeliwujące w przestrzeń cienkie włócznie, rozciągające się i łączące z innymi. To wyglądało jak chmura metalu rozrastająca się we wszystkich kierunkach, a pomiędzy fragmentami konstrukcji było widać błękitne fragmenty Ziemi.

– W rejonie są trzy jednostki ZDK – powiedziała Elizabeth. – Żadna z nich nie walczy. Jedna to barka wypoczynkowa, dwie to wahadłowce do przewozu ludzi. Wszystkie znajdują się na trajektoriach mających wyprowadzić je z systemu. Właściwie jesteśmy sami.

Po tych słowach na mostku zapanowała cisza.

Tom obrócił się na swoim fotelu.

– Nie możemy tam lecieć – powiedział. – Zniszczą nas.

Nadal wisieli przed bramą, za którą widniała Ziemia i dziewięćdziesiąt siedem czarnych punktów. Wyglądały, jakby ekran był po prostu brudny, jakby Mason mógł po prostu zetrzeć je dłonią. System automatycznie i w najlepszej wierze pokazywał w zbliżeniu różne jednostki Tremistów rozstawione wokół rozrastającego się sześcianu. Były to wielkie, długie i wysokie „Izolatory", większe nawet od „Egiptu". Nie przypominały zwierząt jak „Sokoły", raczej zwaliste prostopadłościany jakby zwężone pośrodku, z dwoma czerwonymi silnikami ustawionymi z tyłu, jeden nad drugim.

Były tam też okręty różnej wielkości, których nazw Mason nie znał. Niektóre miały fioletowe silniki, inne niebieskie jak „Egipt". Wielkie działa umieszczone na Księżycu powinny się z nimi szybko uporać. Miało to być tajne, ale Susan powiedziała mu kiedyś, że na Księżycu było działo zdolne utworzyć wiązkę cząstek o grubości ręki Masona. Promień czystej materii, przeznaczony do przebijania okrętów i ich opróżniania.

A jednak Księżyc wisiał ciemny i milczący, jakby cała załoga ZDK się z niego ewakuowała.

– Słyszycie? – spytał Tom. – Kapitanie?

– Słyszę – odparł Mason. – Ale nadal musimy tam lecieć.

Kilku kadetów – Mason nie odrywał wzroku od Toma, więc nie wiedział którzy – mruczało z niezadowoleniem. Jeden powiedział nawet:

– On nie może mówić poważnie.

– Zamknij się, on jest kapitanem – odpowiedział inny.

Chciał postąpić inaczej, ale czy mogli naprawdę pozostawić Ziemię na łasce Tremistów? Nawet jeśli szanse mieli znikome, może będą w stanie spowolnić proces i zyskać trochę czasu na przybycie posiłków. To by wystarczyło.

Tom wystrzelił ze swojego fotela.

– Jesteś idiotą. Zniszczą nas natychmiast. Musimy ostrzec flotę.

– Jestem pewien, że flota została już powiadomiona – odparł Mason. – Myślisz, że kiedy się pokazali, Ziemia nie wysłała jednego albo dwóch meldunków?

Kellan, kadet, który obsługiwał stanowisko bramy (Mason dopiero teraz przypomniał sobie jego imię), powiedział:

– Sir, brama się grzeje. Musimy podjąć decyzję.

– Sekundę – odparł Mason, kiwając głową. Żałował, że nie ma tysiąca sekund, aby zdecydować. Dziesięciu tysięcy.

– Elizabeth – powiedziała Merrin – gdzie jest reszta floty?

Elizabeth milczała przez pełne pięć sekund. A potem odpowiedziała:

– Główne siły ZDK koncentrują się za Saturnem. Obecnie jest tam dwanaście okrętów. Należy się spodziewać, że przed upływem godziny czasu uniwersalnego będzie ich czterdzieści siedem. W przeciągu siedemdziesięciu ośmiu minut okręty znajdą się w przestrzeni okołoziemskiej, aby związać bojem Tremistów.

– A co z „Olimpem"? – spytał Tom. – Gdzie jest „Olimp"?

Elizabeth milczała przez dziesięć sekund, zapewne gromadziła dane z pokrywającej cały system sieci informacyjnej.

– „Olimp" będzie niedostępny przez następne dwie godziny. System bramy w bazie się zaciął.

Brama stacji kosmicznej musiała zaciąć się właśnie TERAZ!

„To skoordynowany atak" – pomyślał Mason.

Elizabeth odezwała się ponownie:

– Aktualizacja. Wygląda na to, że ZDK może zaczekać z wyruszeniem na „Olimp", licząc na siłę jego ognia. Kolejną aktualizację rozkazów otrzymam za dziewięć minut. Mamy rozkaz natychmiast dołączyć do formacji bojowej za Saturnem.

Tego potrzebował – wyraźnego rozkazu.

Jeśli ZDK jednak zdecyduje się lecieć bez „Olimpu", pozostanie jeszcze siedemdziesiąt osiem minut, może trochę więcej. Brama, wielka kula zbudowana z przecinających się rur, była już trzy razy większa, niż kiedy ją zobaczyli; z tej odległości wyglądała jak pajęczyna. Pozostawało jeszcze jedno pytanie, na które Mason nie znał odpowiedzi: czy ma zabrać swoją załogę i dołączyć do względnie bezpiecznej floty, czy jeszcze raz zignorować rozkazy. Jednak tym razem nie była to jakaś błahostka. Niewykonanie rozkazu mogło narazić ich wszystkich na śmierć. A biorąc pod uwagę liczbę Tremistów w systemie, słowo „mogło" było mało adekwatne.

Dlatego też Mason wziął głęboki wdech i przygotował się do zadania pytania, usiłując jednocześnie przygotować się na nieuchronną odpowiedź.

– Liz – przełknął ślinę, w gardle miał sucho – ile czasu upłynie, przy tej szybkości, nim brama rozwinie się i będzie aktywna?

Elizabeth milczała trzy sekundy. Kiedy się odezwała, jej głos brzmiał smutno, choć Mason wiedział, że to niemożliwe.

– Trzydzieści dwie minuty – powiedziała.

Powietrze zdawało się uchodzić z mostka. Nikt się nie odezwał. Mason się starał, aby nie zacząć krzyczeć.

– Czy oni nie wiedzą?! – spytał. – Będzie za późno, nie wiedzą o tym?!

– Powtarzam im to – odparła Elizabeth. – Są bardzo zajęci. Ignorują mój Kanał Pierwszy. Są...

– Co się stało?

– Tremiści wtargnęli w okolice Saturna. Flota usiłuje się przebić, ale Tremiści wysłali szybkie myśliwce. „Wróble" niszczą rozwijające się bramy.

Mason wyobraził sobie śmigające w przestrzeni, podobne do igieł „Wróble", które atakują bramy jak roje pszczół. W całym ciele czuł chłód. Na jego oczach właśnie kończył się świat. Obecnie fakt, że odzyskali mostek „Egiptu", zdawał się nic nie znaczyć. Absolutnie nic. A jednak ich brama wciąż unosiła się w przestrzeni, czekając, aż przez nią przelecą. Najpierw w jakiś sposób wyeliminowano bazy na Księżycu, a teraz Saturn – Tremiści pomyśleli o wszystkim, aby zapewnić sobie zwycięstwo.

Ale czy pomyśleli o osiemnastu kadetach na pokładzie SS „Egipt"?

– Flota jest tam, gdzie mamy szansę! – powiedział Tom. – Sami nigdy byśmy się nie zbliżyli.

– Jeśli stąd odlecimy, będzie to koniec Ziemi – zauważył Mason.

Tom zrobił krok w jego stronę.

– Nie pozwolę, abyś zabił nas wszystkich w jakimś szalonym akcie czegoś, co uważasz za odwagę.

Merrin odezwała się bardzo cicho:

– ZDK nie przyleci na czas, nawet gdyby nie było tam „Wróbli". Albo my, albo nic.

– To samobójstwo – powiedział Tom.

Mason stał na nogach jak z waty.

– Uzbrój wszystko, co masz, Renner. To rozkaz.

Usiłował brzmieć jak kapitan. Musiał być pewien swojej decyzji tak, aby inni nie wyczuli niepewności.

– Sam je sobie uzbrój – powiedział Tom, schodząc z mostka.

Zdążył zrobić trzy kroki, nim Mason złapał go za przedramię i przytrzymał.

– Wracaj na swoje stanowisko.

Oczy Toma były mokre i przekrwione.

– Zmuś mnie.

Mason zamierzał zaciągnąć go z powrotem przed konsolę kierowania ogniem, ale Tom uwolnił swoje ramię i pchnął mocno kolegę. Był to szybki, brutalny ruch, którego ten się nie spodziewał. Wylądował twardo na plecach, a Merrin krzyknęła cicho.

– Thomas! – Jeremy usiłował powstrzymać Rennera.

– Przejmuję ten... – zaczął krzyczeć Tom, ale Mason zakręcił się na plecach i podciął mu nogi. Tom upadł obok Masona, potoczyli się, okładając pięściami i łokciami, w zbyt dużym zwarciu, aby tak naprawdę zrobić sobie krzywdę. Rękawica łaskotała skórę Masona, jakby chciała potraktować Toma elektrycznością, ale pomyślał: „nie!" i łaskotanie osłabło.

– Przestańcie! – krzyczała Merrin. – Nie czas na to!

– Nie pozwolę, aby wysłał nas na samobójczą misję! – odparł Tom przez zaciśnięte zęby. Usiłował zrzucić z siebie Masona.

Starka bolała twarz od uderzeń, resztę jego ciała chronił pancerz. Jednak był to dobry ból, który uczynił go czujnym, otrzeźwił nieco po odrętwieniu, w jakie wprawił go widok tak wielu sił Tremistów w jednym miejscu, tak blisko domu.

Mason stuknął głową Toma o podłogę mocniej, niż planował. Oczy chłopaka uciekły na chwilę do góry, po czym wróciły na miejsce.

– Słuchajcie! – Mason prawie prosił. – Jesteśmy jedyną nadzieją Ziemi!

Tom znieruchomiał w jego uścisku; Mason siedział na nim i przytrzymywał mu ręce.

– Nie ma nikogo innego.

Nikt się nie odezwał. Brama była nadal otwarta, czekała. Widać było przez nią, jak obok Ziemi rozwija się mała, żółta kropka. Minęła sekunda, nim zrozumieli, że to oglądana z daleka eksplozja.

– Obecnie w okolicy jest tylko jeden statek – powiedziała Elizabeth. – Pozostała tylko barka.

– Daj mi wstać – powiedział Tom.

– Zamierzasz... – rozpoczął Mason.

– Powiedziałem: daj mi wstać.

Mason powoli zszedł z Toma Rennera. Tom wstał i przesunął dłonią po rozbitej dolnej wardze, rozmazując krew. Wygładził mundur, poprawił w pasie. Potem podszedł do swojej konsoli i usiadł.

– Zróbmy to – powiedział.

Merrin spojrzała na Masona; jej błyszczące fioletowe oczy były szeroko otwarte, ale nie ze strachu. Mason przez chwilę trwał urzeczony tym, jak była piękna. „Zawsze tak myślałeś". Teraz, kiedy wiedział, że dziewczyna nie jest człowiekiem, dziwił się, jak w ogóle mógł tak myśleć. Ona była kimś więcej.

Kiedy tak na nią patrzył, odwróciła głowę, a jej policzki przybrały lekki odcień czerwieni. To go otrzeźwiło, a rzeczywistość spadła z impetem na barki kapitana Starka. Musiał na powrót zasiąść w fotelu. Spojrzał po kolei na każdego z kadetów, uświadamiając sobie, że ich życie spoczywa w jego rękach. To właśnie znaczyło: być kapitanem. Najgorsze uczucie, jakiego kiedykolwiek doświadczał; nie mógł się doczekać, kiedy odda tę funkcję.

I wtedy właśnie przyszedł mu do głowy pomysł, który mógłby zadowolić i jego, i Toma.

– Jesteśmy gotowi? – spytała Merrin, trzymając dłoń na dźwigni dopalacza.

Byli?

Mason nie wiedział. Ale nie miało to znaczenia, ponieważ to była chwila, kiedy należało oddać cios.

– Przechodzimy – powiedział.

Rozdział 23

Podczas przechodzenia przez bramę, odczuli dziwne łaskotanie wyładowania statycznego. W jednej chwili znajdowali się trzysta dwa lata świetlne od Ziemi, a w następnej już na jej orbicie. Bardzo tłocznej orbicie.

Dlatego lepiej było się nie guzdrać.

– Jesteśmy w pełni uzbrojeni – powiedział Tom pochylony nad monitorem. – Na maksymalnym zasięgu wiązek.

– Cel: sześcian.

Już ponad połowa bramy rozwinęła się w superdługie macki, ale reszta nadal była spakowana do postaci sześcianu. Przypominała kłębek przędzy, z którego powyciągano setki nitek i poukładano tak, aby przypominały warstwy pajęczej sieci.

– Namierzony! – Tom potwierdził gotowość.

– Ognia wszystkimi standardowymi wiązkami cząstek!

Z „Egiptu" wystrzeliły cztery cienkie promienie białego światła, po dwa z każdego walca. Pomknęły w stronę bramy, cztery równoległe odcinki o długości setek kilometrów. Z daleka wydawało się, że sześcian spija światło, rozbłyskując łagodnym, niebieskozielonym blaskiem.

– Jest osłonięty tarczą – stwierdził jakiś kadet.

– Bez skutku – zameldował Tom łamiącym się głosem.

– Dodaj wiązki elektronów! – rozkazał Mason. Wystrzeliły dwie kolejne supercienkie kreski, tym razem o żółtawej barwie; nie były to tak naprawdę lasery, ponieważ składały się z materii, nie światła. Sześcian rozbłysnął. Na moment.

– Tremiści wiedzą, że tu jesteśmy – zakomunikowała spokojnie Elizabeth, jakby było to coś nowego. – Szykują się do przechwycenia.

Tom znów obrócił się na swoim fotelu.

– Nie mamy dość mocy, aby przebić się przez tarcze sześcianu. Pora wiać.

– Czekaj – odparł Mason.

– Miałeś swój strzał! – Tom nie odpuszczał.

– Czekaj! – warknął Mason. Na mostku zrobiło się cicho. W dali kilka czarnych kształtów rozbłysło na niebiesko, fioletowo i czerwono, kiedy uruchamiały swoje silniki i ruszały w stronę „Egiptu”.

– Stellan – odezwał się Mason.

– Tak, kapitanie – dobiegło z tyłu po prawej stronie.

Stellan przeszedł specjalny kurs taktyki posługiwania się tarczami, ponieważ jego główną specjalizacją miała być inżynieria.

– Możesz przeskanować tarczę i powiedzieć mi, czy mogą przez nią przelecieć wolno poruszające się obiekty? Takie o większej masie, ale poruszające się naprawdę wolno. – Nie powiedział jednak „jak człowiek”, jeszcze nie.

Minęła chwila.

– Tak... tak, przelecą.

Mason odetchnął z ulgą, co uznał prawie za śmieszne, biorąc pod uwagę, ilu nieprzyjaciół leciało właśnie w ich stronę.

– Dobrze – powiedział Mason. – Potrzebuję ochotników...

Rozdział 24

– Jeremy, ty dowodzisz – powiedział Mason.

Zastanawiał się nad tym, kto powinien go zastąpić, a Jeremy był w stanie podejmować trudne decyzje. Chyba nawet lepiej niż on sam. Stellan wprawdzie uczył się na profilu kapitańskim, ale wciąż miał w sobie lęk, którego nie było u Jeremy'ego. Mason przypomniał sobie, jak Jeremy potraktował go i Toma, aby przestali zachowywać się jak idioci. To Jeremy był najlepszym wyborem, nawet jeśli Mason wiedział na pewno, że Jer wolałby raczej walczyć u ich boku, niż wydawać rozkazy.

Wydawało się, że Jeremy nieco pozieleniał na twarzy, ale skinął głową.

– Tak jest.

Jeśli Stellan poczuł się urażony, to nie pokazał tego po sobie. Znał swoje ograniczenia, dlatego wiedział, że nie jest jeszcze gotowy na takie wyzwania. Nie pozwolił, aby odezwało się w nim urażone ego.

Mason zwrócił się do załogi:

– Zamierzam wylądować na tym sześcianie i zniszczyć go, nim ukradnie nam dom. Jeśli ktoś chce...

– Ja. – Merrin uniosła rękę.

– Lecę – dodał Tom. Uśmiechnął się bardzo delikatnie. – Choćby dlatego, że nie ufam, iż sam doprowadzisz wszystko do końca.

Mason skinął głową obojgu. Miał nadzieję, że zdają sobie sprawę, iż jest to misja, z której najprawdopodobniej nie wrócą. Musieli to wiedzieć.

Jeremy podszedł do fotela kapitana.

– Trzy rozkazy – powiedział do niego Mason. – Wysadź nas na sześcianie, a potem zabieraj się stąd, zanim Tremiści cię zniszczą.

– A trzeci? – spytał Jeremy.

– Jakbyś mógł wrócić i nas zabrać, byłoby wspaniale. – Mason prawie się uśmiechnął. Jeremy skinął głową.

– Tak będzie.

– Nie tak szybko, panie optymistyczny – wtrącił Tom. – Przed snem musi pan wyrobić swoje kilometry.

– Rozstaw kolejną bramę, skok w obrębie systemu – poradził Mason Jeremy'emu. – Kiedy Tremiści się zbliżą, przeleć przez nią. Później, gdy już wyjdziemy, znów przez nią przejdź.

Po tych słowach wyszedł, z Merrin i Tomem po bokach.

* * *

Skafandry założyli w pomieszczeniu znajdującym się na dwóch najniższych poziomach łącznika, gdzie dokowały wahadłowce, dokładnie pod mostkiem. Było to miejsce specjalnie zaprojektowane, by ułatwić załodze wyjście w przestrzeń. Za przezroczystymi ścianami na lewo i prawo stały nieliczne wahadłowce „Egiptu", połyskujące w blasku świateł zamocowanych pod sufitem.

Kombinezony – idealnie czarne, tak aby zlewały się z przestrzenią – przypominały nieco zbroje Tremistów z dodatkiem ultralekkich plecaków odrzutowych pozwalających łatwo manewrować w kosmosie. Kadeci spędzili w takich skafandrach setki godzin na drugim i piątym roku w Jedynce. Mason niechętnie zdejmował zbroję, ale nie wiadomo było, czy uda się podłączyć do niej plecak, a czasu na próby nie mieli. Z żalem zostawił więc zdobyczny pancerz pod ubraniami w jednej z szafek.

W skafandrze było bardzo gorąco, dopóki wewnętrzny system klimatyzacyjny nie ustawił odpowiedniej temperatury. Mason naciągnął rękawicę Rhadgasta na rękę i poczuł, że połączenie zostało aktywowane. To dobrze, obawiał się, że aby działać, rękawica potrzebowała bezpośredniego kontaktu ze skórą.

Merrin i Tom też byli prawie gotowi. Jednocześnie założyli hełmy. Były ciepłe, z przezroczystymi przesłonami ciągnącymi się od czoła do podbródka. Skafandry uszczelniły się z sykiem. Merrin uniosła kciuk w górę, tak samo Tom.

Pozostawała tylko bomba. Znajdowała się w niewielkiej zbrojowni w ścianie, za panelem, który Elizabeth musiała im otworzyć. Ładunek wyglądał jak dwa połączone ze sobą walce i był magnetyczny, toteż Mason mógł go przymocować do skafandra. Zagrali w kamień, nożyce, papier, kto weźmie bombę ze sobą, i Mason wygrał, częściowo dlatego, że pokazał dłoń o ułamek sekundy później i już wiedział, że oni wybrali nożyczki. Przymocował bombę do nogi, z boku, sięgała od biodra do kolana.

Mason przyjrzał się biegnącej po podłodze linii podziału, oznaczającej granicę między okrętem a kosmosem, teraz oddzielonym od pomieszczenia chowanymi w ścianach wrotami.

– Wyłączyć grawitację – polecił.

Znów poczuł lekkość w żołądku, odepchnął się i uniósł pod sufit.

– Dlaczego dałem się na to namówić? – mruknął Tom, jego głos był wyraźnie słyszalny w głośnikach hełmu.

– Bo jesteś odważny – odparł Mason.

– A, to racja.

– Już to wcześniej robiliśmy – powiedziała Merrin. – To nie jest jakieś wielkie halo. Tylko że tym razem to...

– ...prawdziwa przestrzeń – dokończył Tom. – Najprawdopodobniej nieskończona. To oznacza wieczność.

– Dzięki, Thomas – powiedziała Merrin. Trzymali się umocowanych pod sufitem uchwytów; wyglądali, jakby na nich wisieli.

W głośnikach rozległ się głos Jeremy'ego:

– Przygotujcie się do wyjścia. Otwieramy wrota.

Minęło dwadzieścia sekund, podczas których Mason słyszał swój oddech.

– Jaki jest plan? – zapytał w końcu Tom.

– Wysadzimy bramę – odparł Mason.

– Dziesięć sekund – powiedział Jeremy. – Tam na zewnątrz jest gorąco!

Serce Masona zaczęło walić niczym młot. Na ramieniu zabrzęczało urządzenie monitorujące czynności organizmu, sugerując, aby się uspokoił. Prawie się roześmiał. Popatrzył na Merrin i Toma, którzy skinęli mu głowami.

– Pięć, cztery… – liczył Jeremy.

Szczęknął mechanizm blokujący wrota. Mason poczuł delikatne, łagodne wibrowanie napędu odrzutowego.

– Trzy, dwa…

Mason podkulił nogi pod siebie tak, że właściwie stał na suficie. Tom i Merrin zrobili to samo, zwinęli się w kłębek, gotowi wylecieć w kosmos.

A potem oba skrzydła wrót błyskawicznie schowały się w ścianach i przez ułamek sekundy, zanim opuścili „Egipt", Mason mógł zobaczyć wszystko. Rozległa, atramentowoczarna przestrzeń wokół, tak nieskończona, że trudno nawet o niej myśleć. Niewiarygodnie wielka, niedająca się z niczym porównać. Pośrodku lśniła biało-niebieska kula Ziemi, a przed nią urządzenie stworzone przez ludzi, które teraz im zagrażało. Jego rozmiar też był nieporównywalny i przez chwilę Mason rozumiał, jak wiele czasu i wysiłku włożono w budowę bramy. To było więcej niż kilka lat pracy.

Jednak ważniejsze w tej chwili było to, że okręty Tremistów znajdowały się już bardzo blisko. Milczące giganty zawieszone w próżni. Chmury przesłaniające Ziemię rozrywały bezdźwięczne eksplozje, to wahadłowce, niszczone, nim zdołały opuścić atmosferę. Było to piękne i jednocześnie przerażające widowisko. Mason pojął, że wszystko zależy tylko od nich i teraz mogą tylko starać się wykonać swoje zadanie jak najlepiej.

Powietrze z pomieszczenia uciekło w próżnię, a trójka kadetów oderwała się od sufitu i opuściła okręt.

Rozdział 25

Kiedy wylecieli z „Egiptu", próżnia rozciągała się wokół nich, a Mason uświadomił sobie, jak bardzo byli tu nie na miejscu. Ludzie, zapakowani w ciasne skafandry zapewniające nieco powietrza i ciepła, nie pasowali do tego bezmiaru. Wrażenie było wyjątkowe. W każdą niemal stronę rozciągały się dosłownie całe lata świetlne pustki. Nie miało to jednak znaczenia, ponieważ przed nimi znajdowała się brama. Obecnie zasłaniała już większość Ziemi i wciąż się rozrastała. Skierowali się ku niej. Mason odważył się obejrzeć i zobaczył „Egipt", gnający przez ciemność z silnikiem połyskującym jasnym błękitem, ścigany przez Tremistów. Ich okręt kierował się w stronę bramy, która miała go przenieść w okolice Saturna.

Kiedy zbliżyli się do sześcianu, Merrin westchnęła, a Tom dodał całkiem spokojnie:

– Nie mogę uwierzyć, że to robimy...

Z bramy wysuwały się kolejne odnogi; to nie był kształt, raczej wzór geometryczny. Lecieli w jego stronę, a ustawione na wsteczny ciąg dopalacze uruchomiły się, aby nie wpadli na powierzchnię i nie rozpłaszczyli się na placki.

Nic nie wskazywało, by znajdujące się w okolicy okręty Tremistów ich zauważyły. Unosiły się leniwie niczym łodzie w porcie, czekając na kogoś na tyle głupiego, kto rzuciłby się na ich skradzioną bramę. Lśniły w żółtopomarańczowym blasku słońca, które było gorącą, zbyt jasną kulą oddaloną o ponad sto pięćdziesiąt milionów kilometrów. Mason uśmiechnął się za swoją przesłoną; Tremiści będą mieli niespodziankę.

– Juhu! – krzyknął nagle Tom, a Mason również poczuł zawrót głowy. Lecieli, a brama wciąż rosła tak, że musiał mocno kręcić szyją, aby ogarnąć ją w całej okazałości. Do tego, co zostało z sześcianu, mieli niedaleko, zaledwie kilka kilometrów. Musieli wylądować na boku urządzenia, gdyż część górna stanowiła powiększające się kłębowisko teleskopowych elementów powoli schodzące w dół. Mason usiłował ocenić, ile czasu będą mieli, kiedy już wylądują, ale to było niemożliwe – był zbyt napompowany adrenaliną, żeby trzeźwo ocenić sytuację. Słyszał swój własny, urywany oddech i zorientował się, że chociaż poruszali się z dużą prędkością, czuł się zupełnie normalnie. Równie dobrze mógłby się unosić w komorze nieważkości lub w basenie. Skafandry równoważyły całą bezwładność, jaką mógł odczuwać.

Uda się.

Mieli tylko wylądować na sześcianie, co było łatwizną, i rozmieścić ładunek wybuchowy. Potem wystartują i będą czekać na „Egipt". Zniszczona brama z pewnością wyrzuci Tremistów z przestrzeni okołoziemskiej. Mason już się uśmiechał, zapomniawszy o własnym strachu. Dopóki nie zorientował się, że odrzutowe silniczki nie spowalniają go wystarczająco. Teraz brama zbliżała się zbyt szybko.

– Przechodzę na ręczny! – krzyknął. – Zwalniamy! Zacisnął pięści i uderzył łokciami do tyłu, jakby chciał nimi trafić kogoś stojącego za nim, i poczuł, że nieco zwalnia. Brama była tuż przed nimi, a jej powierzchnia dziwnie migotała. Kiedy przechodzili przez tarczę, poczuł opór, jakby uderzył w pionową ścianę wody, a potem byli już w środku. Stellan miał rację.

– Nie mogę zwolnić! – krzyknęła Merrin. Uderzała łokciami do tyłu, ale odrzutowy plecak nie reagował.

Mason znajdował się o kilkaset metrów od bramy, kiedy Merrin uderzyła o jej powierzchnię. Plecak błysnął czerwonawym światłem, dziewczyna zakręciła się i odpadła od sześcianu, wylatując w przestrzeń.

Rozdział 26

– Nie! – krzyknął Tom.

– Trzymaj się, Merrin! – zawołał Mason, stając na powierzchni. Poczuł moc drzemiącą w sześcianie, głębokie wibracje, kiedy tysiące ruchomych części robiły to, do czego zostały zaprojektowane.

Merrin nie krzyczała, tylko odbijała się, jej dopalacze strzelały jak szalone, popychały ją w górę sześcianu, wprost w ruchomy las metalu. W każdej chwili któraś z części mogła, unosząc się w górę lub w dół, wysłać ją w kosmos, rozpruć skafander lub po prostu zabić samym uderzeniem.

Mason wystrzelił pionowo wzdłuż sześcianu, lecąc za dziewczyną.

– Ja to zrobię! Musisz uzbroić bombę! – zawołał za nim Tom.

Mason wiedział, że nie mają czasu, że zdoła ją pochwycić, ale tylko jeśli będzie leciał tak jak teraz. Tom jęknął z frustracją, a Mason wiedział, że będzie mu deptał po piętach.

– Zróbcie swoje! – odkrzyknęła Merrin.

Jakaś część sześcianu wystrzeliła w górę, odrzucając dziewczynę w bok. Merrin odbiła się od szczytu, gdzie mnóstwo elementów rozciągało się lub unosiło. Mason przeleciał nad górną krawędzią formującej się bramy, kontrolując dopalacze z największą dokładnością, na jaką mógł się zdobyć. To był prawdziwy koszmar: cienkie rurki przesuwały się tam i z powrotem, wyskakiwały skądś, łączyły się ze sobą. Merrin odbijała się od wielu z nich, ale żadna nie mogła jej unieruchomić ani choćby spowolnić. Mason zwiększył moc napędu, wyciągając ręce, i prześlizgnął się ponad kłębowiskiem, modląc się, aby nic nie wystrzeliło nagle do góry. To było jak pływanie nad tysiącem rekinów, z których każdy w dowolnym momencie może odgryźć nogę. Mason dogonił Merrin w połowie górnej części, chwycił za nadgarstek, gdzie skafander był najcieńszy i najłatwiej dało się kogoś trzymać.

– Mam cię! – krzyknął i poczuł się nieco głupio.

Mimo wszystko Merrin zachichotała. Śmiała się na przekór temu labiryntowi szalejącego metalu dookoła, jakby był to jakiś rodzaj zabawy lub zwykły trening.

– Nie spieszyłeś się – powiedziała obojętnym tonem.

– Coś mnie zatrzymało – odparł Mason.

Tom dogonił ich i przystopował, by uniknąć spotkania z poruszającym się elementem bramy. Obecnie nie sposób było dostrzec, jak wielki jest jej obwód. Rozciągała się w obie strony na setki, być może tysiące kilometrów. Mimo to dziesiątki okrętów Tremistów były widoczne jak na dłoni, tak blisko, że widać było światła w oknach. Ale to nie miało znaczenia, tu wróg im nie zagrażał; strzelanie w stronę kadetów groziłoby uszkodzeniem bramy, o ile broń Tremistów w ogóle przebiłaby się przez pole siłowe.

Tom chwycił Merrin, aby Mason mógł zająć się wykonaniem zadania. Stark ściągnął bombę z biodra i ukląkł na bramie. Teraz musiał działać szybko: poszczególne elementy poruszały się błyskawicznie, trudno byłoby uzbroić ładunek, nim zdążyłby odlecieć. Nawet teraz, kiedy chłopak stał na szczycie, teoretycznie jeszcze stabilnej resztki sześcianu, czuł, jak opada o kilka centymetrów, a poszczególne elementy wysuwają się spod jego stóp. Sześcian gwałtownie się kurczył.

– Szybciej! – popędzał go Tom.

W jego głosie brzmiała ta sama ekscytacja, którą czuł Mason – bliskość zwycięstwa. Zdołają zamocować bombę i cała Ziemia zostanie uratowana. O tak, za taką misję dostaną medale.

Mason klęczał, zamierzając zabezpieczyć bombę, ale jego uwagę odwrócił jakiś ruch. Z góry sunął w ich stronę „Sokół", był najpierw sto, potem pięćdziesiąt metrów od nich. Zatrzymał się, przesłaniając połowę słońca. Bez wątpienia był to okręt króla. Gdyby nie regulator temperatury w skafandrze, krew Masona prawdopodobnie ścięłaby się w żyłach lodem.

– Ech, długo jeszcze? – spytał Tom.

– Nie chciałabym cię poganiać! – dodała Merrin z udawanym śmiechem.

Mason warknął sfrustrowany i przygotował się do ponownego namagnesowania bomby.

A potem w dolnej części „Sokoła" otworzył się właz i wyleciało z niego, niczym spadające gwiazdy, czterech Rhadgastów.

Rozdział 27

Trójka kadetów była teraz jak jelenie ścigane przez wilki. Mason trzymał mocno dłoń Merrin, może nawet zbyt mocno, ale nie mógł ryzykować puszczenia dziewczyny, nie z uszkodzonymi dopalaczami.

– Jestem zbędnym balastem, puść mnie! – krzyknęła ochryple Merrin. – Nie zrobią mi krzywdy!

– Ta, na pewno – odparł Tom.

– Wyglądają bardzo przyjaźnie – dodał Mason.

W ich stronę po powierzchni sześcianu pomknęły fioletowe błyskawice. Przez krótką chwilę Mason miał nadzieję, że powstrzymają się przed celowaniem w pobliżu bramy, ale potem uświadomił sobie, że inżynierowie ZDK musieli uwzględnić coś tak prostego, jak wyładowanie elektryczne.

Błyskawice uderzyły także w Masona, ale skafander go uchronił. Nadal jednak odczuwał ciepło każdego uderzenia i stające dęba włoski na całym ciele. Rozległ się pisk ostrzeżenia systemu o zbyt wysokiej temperaturze, przesłonę hełmu zrosił pot. Chłopak kołysał się w lewo i prawo, nad i pod rurkami, a podłoga powoli usuwała się spod jego stóp. Kadeci dysponowali wprawdzie dwoma rękawicami Rhadgastów, ale jaką mieli szansę przeciwko czterem z nich?

Merrin szarpnęła Masona za ramię, uszkodzone do-palacze utrudniały trzymanie dziewczyny.

– Przepraszam – powiedziała cicho. – Nie panuję nad tym!

Mason zaryzykował spojrzenie przez ramię; w tej samej chwili jeden z Rhadgastów został wyrzucony w kosmos przez rurę, która uderzyła go od tyłu. Poleciał, wywijając koziołki. Następny został unieruchomiony między dwoma poruszającymi się tyczkami. Wszystko rozgrywało się w całkowitej ciszy, ale kiedy Rhadgast z rozpostartymi rękami nienaturalnie wykrzywiał plecy, Mason wyobrażał sobie jego krzyk. Tyczki się rozdzieliły, a Rhadgast poszybował niczym martwy kosmiczny śmieć.

Pozostało jeszcze dwóch, czyli o dwóch za dużo.

Zbliżali się teraz do drugiego krańca sześcianu, tu ich droga się kończyła.

– Po prostu zrób to! – powiedziała Merrin. – Spróbuję ich zdjąć.

– Ma rację. – Tom, minął ich w pełnym pędzie, przeskakując nad kłębowiskiem metalu, a potem pod wznoszącym się elementem. – Mamy...

Urwał, kiedy nagle jakaś tyczka wyrzuciła go w kosmos tak jak pierwszego Rhadgasta. Uderzenie pozbawiło chłopaka tchu, jego wydech dźwięczał w uszach Masona. Tom, wirując, poleciał w przestrzeń, usiłując dopalaczami jakoś ustabilizować swój szalony lot.

– Zrób to! – wykrztusił. – Podłóż ją, Stark! Zapanuję nad tym!

Mason uspokoił się i obrócił gwałtownie, wyciągając rękę i strzelając z rękawicy w dwóch ścigających ich Rhadgastów, którzy nie pozostali mu dłużni. Merrin również nie czekała biernie i fioletowe wyładowania zatańczyły na powierzchni sześcianu, wznosząc się i opadając, skręcając i wijąc. Spotkały się i owinęły wokół siebie, tworząc między walczącymi rodzaj zapory i skrywając Rhadgastów za pajęczyną jaskrawego światła.

Mason postawił bombę i przycisnął guzik, aby ją przymocować, cały czas trzymając wzniesioną dłoń z rękawicą. Zaczęło się w niej gromadzić ciepło, widział obok siebie Merrin, pochyloną, opierającą się wyładowaniom. Opuścił rękę, aby uzbroić bombę – musiał tylko przycisnąć jeden guzik, pomocnie podpisany „UZB", lecz kiedy to robił, fragment sześcianu, do którego ją przymocował, odleciał w ciemność, zabierając ładunek ze sobą.

Zniknęła.

Rozdział 28

Teraz mogli już tylko walczyć. Mason i Merrin dalej ostrzeliwali błyskawicami Rhadgastów, którzy cały czas się zbliżali. Powierzchnia, po której się poruszali, wciąż opadała, aż stało się jasne, że wkrótce nie będzie już na czym oprzeć stóp, a sześcian stanie się kręgiem. Las metalu również niemal zniknął, większość tyczek znalazła się na wyznaczonych miejscach. Brama wyginała się gigantycznym łukiem w obie strony; wewnątrz jej znalazło się wiele okrętów Tremistów.

Mason pocił się w swoim skafandrze, nie chcąc się poddać. Nie pozostało jednak zbyt wiele czasu. Wrogowie zaraz zyskają nad nimi przewagę i będzie po wszystkim. Elementy raz po raz usuwały się spod jego nóg, aż znaleźli się na cienkim, płaskim kwadracie. Ten również się rozleciał i zanim Rhadgastowie zdążyli ich dosięgnąć, rozpadł się na dwoje, wyrzucając walczących w przeciwne strony. Zasłona z błyskawic zajaśniała i rozpadła się, jej resztki przepełzły po skafandrze Masona. Odpadł, wielka błękitna kula Ziemi raz po raz migotała mu przed oczami.

– Mam cię! – Tym razem to Merrin chwyciła obiema dłońmi rękę Masona.

Rhadgastowie unosili się w pewnej odległości. Między nimi brama kończyła proces formowania, stawała się coraz cieńsza. Teraz była to zaledwie linia, zbyt wielka, aby można było zobaczyć jej krzywiznę, choć Mason wiedział, że tam jest. Teraz brama była obręczą wielką jak planeta. Mason patrzył, jak stabilizuje się i wreszcie przestaje poruszać.

Unosili się w przestrzeni; teraz, kiedy brama była bezpieczna, Rhadgastowie zdawali się nimi nie interesować. Dwójka kadetów przeszła przez tarczę.

– W porządku – powiedziała Merrin, w jej głosie wyczuwało się łzy. – Próbowaliśmy.

Mason nie mógł nawet na nią spojrzeć. Samo próbowanie nie wystarczy. Nikt nie nagradzał za próbowanie, tylko za zwycięstwo. Zawiedli, a teraz miliardy ludzi za to zapłacą.

– W porządku... – powtórzyła Merrin, zdawało się, że przede wszystkim usiłuje przekonać siebie.

Tom nadleciał z góry, odzyskawszy kontrolę nad lotem. Cała trójka trzymała się razem i nic nie mówiła. Po jakiejś minucie „Sokół" wrócił, zawisł nad nimi, a Mason wiedział, że wkrótce zostaną złapani – wkrótce będą jeńcami wojennymi, takimi, jakich chcieli uwolnić. Może Susan nadal znajduje się na pokładzie, żywa, czekając na niego?

Brama zaczęła się obracać, zrazu wolno, niemal niezauważalnie, jakby ktoś ją lekko popchnął. Rozjaśniała słabym biało-niebieskim blaskiem. Mason zauważył, że nie tylko się obracała: poruszała się, jakby dryfując, w stronę Ziemi.

„Sokół" zamierzał ich zabrać, ale Mason zastanawiał się, czy nie lepiej by było, gdyby skończyło im się powietrze. A potem sytuacja uległa gwałtownej zmianie.

Na szarej jak popiół powierzchni Księżyca niespodziewanie wykwitły czarne kropki. ZDK pojawiła się w przestrzeni okołoziemskiej. Pięćdziesiąt okrętów błyskających silnikami i uzbrojeniem.

Cała flota, gotowa do walki.

Rozdział 29

Czerń kosmosu rozświetlił blask setek wiązek cząstek, wymierzonych w dolną część obracającego się kręgu. Tarcza ochronna okazała się najpotężniejsza ze wszystkich, o jakich Mason w ogóle słyszał, o ile w ogóle ktokolwiek o takiej słyszał. Najwyraźniej ZDK nauczyło się czegoś na własnych błędach po tym, jak Tremiści wiele lat temu zniszczyli bramę. Jednak żołnierze się nie poddawali, strzelali dalej, zapewne na pokładach okrętów odzywały się teraz setki alarmów: „Uwaga, uwaga, przegrzanie może doprowadzić do rozszczelnienia kadłuba, może spowodować zagrożenie życia!".

Mijały długie sekundy, tarcza błyskała i migotała, ale trzymała dalej. Była tak jasna, że Mason musiał odwrócić wzrok. Wszelkie dodatkowe zabezpieczenia, jakie ZDK wbudowała w tarczę, zostały usunięte; powinni być w stanie wyłączyć ją na rozkaz, ale brama wydawała się teraz w pełni należeć do Tremistów.

Na oczach trójki pozostawionych własnemu losowi kadetów pierwsza z jednostek ZDK została zniszczona w rozbłysku błękitno-białego światła. To był okręt tej samej klasy co „Egipt". Potem następny przemienił się w kulę ognia, która utrzymywała się mimo braku tlenu. ZDK dalej skupiała swój ogień na bramie, ignorując siły Tremistów, którzy krążyli jak wściekłe osy. Nie, jak rekiny zaciskające wielkie szczęki na ciałach ofiar.

Mason patrzył na to bez emocji, waga tego, co się działo, stłumiła jego uczucia, aż... przestał cokolwiek odczuwać. ZDK mogło albo wygrać, albo nie i nie było ani jednej rzeczy, którą mogliby zrobić.

Zobaczył, jak z roju okrętów ZDK wyłania się SS „Egipt" i leci w ich stronę. Jeremy musiał namierzyć ich sygnał, wracał po nich.

Tom wydał okrzyk zwycięstwa, ale brzmiał on niezupełnie szczerze. Brama nadal działała. Nie będzie zwycięstwa, dopóki nie rozpadnie się na kawałki lecące w różnych kierunkach.

– Przebiją się? – spytała Merrin. Tak naprawdę to nie było tylko pytanie.

– Nie wiem – odparł automatycznie Mason.

„Egipt" uniknął ataku kilku „Sokołów", które zaprzestały pościgu, kiedy zorientowały się, że nie jest on bezpośrednim zagrożeniem dla bramy. Wkrótce potem okręt, który był dla kadetów domem przez ostatnie dwa tygodnie, zawisł nad nimi. W dolnej części łącznika otworzyły się wrota i trójka ludzi, wykorzystując resztki paliwa w dopalaczach, wleciała do środka. Kiedy przywrócono ciążenie i dopływ powietrza, Mason pospieszył wraz z Tomem i Merrin na mostek, po drodze zakładając zdobyczną zbroję.

Kiedy dotarli na miejsce, brama była nadal w całości.

Rozdział 30

Mason ponownie przejął dowodzenie nad „Egiptem", w samą porę, aby oglądać koniec świata.

Stał na mostku wraz z prawdopodobnie pierwszą grupą kadetów, która brała udział w walce, być może pierwszą, która dowodziła okrętem. Jeśli kiedykolwiek zdarzyło się coś podobnego, to w podręcznikach Jedynki o tym nie napisano.

Wirująca brama nie dryfowała już, lecz poruszała się w określonym kierunku.

W kierunku Ziemi.

Łącza trzeszczały niekończącym się gwarem – rozkazy wydane, rozkazy przyjęte, meldunki wypełniały mostek „Egiptu" swoim hałasem. Większość dział ZDK zdążyła się już przegrzać, więc brama właściwie nie była atakowana, jeśli nie liczyć sporadycznych wystrzałów z okrętów, które lepiej gospodarowały energią.

– Co zrobimy, kapitanie? – to pytanie padło kilkakrotnie.

Patrzymy, chciał odpowiedzieć. Patrzymy na naszą porażkę. Bo czy tak naprawdę miało to jakieś znaczenie?

Bramy nie uda się zniszczyć, to było pewne. Nie pozostało już nic innego, jak tylko patrzeć. Wojownik, będący przecież nieodłączną częścią osobowości Masona, buntował się przeciwko temu. Nie chciał patrzeć, tylko walczyć. Do smutnego końca, jak żołnierze w dawnych opowieściach. Tak właśnie postępowali prawdziwi żołnierze.

Smutne było to, że Mason najbardziej ze wszystkiego chciał się gdzieś położyć. Może zasnąć, tutaj, na mostku?

– Mason – szepnął Jeremy.

Stał tuż obok, podobnie jak Tom, jak Merrin. Patrzyli na niego, prawdopodobnie, by nie spoglądać na bramę.

Mason otrząsnął się z tego transu tylko dlatego, że inni wciąż na niego liczyli. Sam na siebie już nie liczył.

Brama dalej się poruszała: obracająca się obręcz, widoczna tylko dlatego, że „Egipt" usłużnie ją podświetlał. Bezmyślny komputer na mostku zabarwił ją na jaskrawoczerwony kolor, podobny nieco do barwy świeżej krwi.

– Atakować! Atakować! – krzyczały głosy na łączach. – Zróbcie coś, strzelajcie, wszystko co macie, co fabryka dała!

Rozkazy zmieniały się w błagania:

– Proszę, pomóżcie nam.

– Jakie rozkazy? – spytał wreszcie Tom.

Merrin siedziała przez cały czas na stanowisku pilota, zaciskając dłonie na drążkach sterowniczych. Częściowo obróciła się w swoim fotelu, czekając na rozkaz ze zmrużonymi oczami. Zdeterminowana w sposób, który Mason w niej podziwiał. Ledwie dostrzegalnie skinęła głową. Wiedział, co to oznacza: jestem z tobą.

– Czekać – powiedział Mason. Czuł ucisk za oczami, i to nie pierwszy już raz. Słowa padały automatycznie.

– Odłączyliśmy się od floty. Jeśli zaatakujemy bramę, zostaniemy zniszczeni. Czekamy.

Nikt się nie sprzeciwił.

Może było to tchórzliwe posunięcie, ale mądre. Bramy nie udało się zniszczyć, a Mason jako kapitan nie mógł skazać swojej załogi na pewną śmierć, dopóki istniała jeszcze szansa, jakkolwiek niewielka. To była jego odpowiedzialność.

Powiedział to sobie.

* * *

Kiedy brama wreszcie dotarła do Ziemi, błękitna planeta zniknęła w jednej chwili. Zobaczyli, że brama obraca się coraz szybciej, potem zakrzywia przestrzeń, a w jej wnętrzu błyskają nowe gwiazdy. Gwiazdy, których komputer nie rozpoznawał. Wewnątrz świeciło nowe słońce, małe i żółte, niezbyt różniące się od gwiazdy znajdującej się w środku ziemskiego Układu Słonecznego.

Brama przesunęła się nad Ziemią szybciej, niż wydawało się to możliwe. Przypominało coś strasznego, co Mason widział kiedyś, kiedy oglądał nagrania wideo z dwudziestego wieku. Dotyczyły zjawiska zwanego walkami byków. Mężczyźni drażnili byki kolorowymi płachtami, a kiedy zwierzęta szarżowały, unosili płachty gwałtownie i obracali się błyskawicznie, kiedy byk zawracał. To było szybkie. Brama teraz była równie szybka. Przesunęła się nad Ziemią, wirując tak prędko, jak jeszcze nigdy, a potem zwolniła.

Gwiazdy, które znał, wróciły, ale Ziemi już nie było.

Rozdział 31

Na kanale łączności zapadła cisza. Ani jednego słowa. Nawet Tremiści zaprzestali swoich ataków. Obie floty unosiły się w czarnej przestrzeni, która nie była już okołoziemską. Była to zwykła przestrzeń, bez najważniejszego punktu charakterystycznego.

– Tam było słońce – powiedział powoli Tom. – Za bramą.

Nikt się nie odezwał. Merrin zdjęła dłonie z drążków sterowniczych i opuściła je bezsilnie.

– Tam było słońce – powtórzył Tom. – Gdziekolwiek zabrali Ziemię, tam było słońce. Nie wrzucili jej ot tak, w pustkę.

– To nieważne – powiedział Stellan, pociągając nosem. – Potrzebne są aż nazbyt dokładne obliczenia. Nigdy nie uda się im ustawić planety w dokładnie takiej samej pozycji, aby warunki na jej powierzchni pozostały niezmienione.

– Dokładnie to samo chcieliśmy zrobić – zauważył Jeremy – z Błękitną Nori.

– To co innego – powiedziała Merrin. – Błękitna Nori nie jest zasiedlona przez istoty rozumne. Gdyby ZDK namieszało, mogli ją przenieść gdzie indziej. Nawet jeśli na powierzchni wystąpiłyby anomalie, nadal warto było ją ukraść.

Słysząc ich rozmowy, Mason czuł się zmęczony. Jakie miało znaczenie, że tam znajdowało się słońce? Byli w szoku albo nie dotarło jeszcze do nich, co się stało. Ziemia NIE znajdowała się już w Układzie Słonecznym, nie wiedzieli, GDZIE się teraz znajduje.

Brama rozpoczęła proces powrotu do formy wyjściowej, a walka rozgorzała na nowo. W jednej chwili przestrzeń była martwa i nieruchoma, unosiły się w niej setki okrętów, niektóre całe, inne nie. Potem próżnia ożyła wystrzałami we wszystkich kolorach. Promienie i kule światła przecinały przestrzeń, w której nie było już Ziemi.

Komputer wyświetlił na kopule symbole jednostek ZDK. Kadeci mogli patrzeć, jak SS „Kenia" eksploduje między dwoma innymi okrętami, SS „Paragwajem" i SS „Nową Zelandią", które odleciały powoli, uszkodzone, ciągnąc za sobą białe obłoki powietrza. Z tej odległości Mason nie widział ciał wypadających z rozdartych jednostek, ale wiedział, że tam są.

Jednak Tremiści również ponosili straty. Boczne dopalacze jednego z „Izolatorów" były uszkodzone i wielki okręt wpadł bokiem na dwa nurkujące „Sokoły", które eksplodowały zielonym płomieniem, jednocześnie powiększając uszkodzenia.

– Kapitanie – jakiś kadet za jego plecami odezwał się ledwo słyszalnym szeptem. Mason drgnął. Powinien podjąć jakieś decyzje albo oni będą następni. Musiał odprowadzić swoją załogę w bezpieczne miejsce. W popełnianiu samobójstwa nie było niczego honorowego, nie tracił honoru, jeśli chciał przetrwać, aby kontynuować walkę następnego dnia.

W następnej chwili pojął, że nie musi mimo wszystko postępować wbrew rozkazom, ponieważ dano komendę do odwrotu. Wiadomość pojawiła się jako przesuwający się, zielony tekst na dolnej części kopuły:

WSZYSTKIE OKRĘTY MAJĄ ZGŁOSIĆ SIĘ NA „OLIMPIE".

A potem:

PILNUJCIE SWOICH BRAM. NIE ATAKUJCIE TREMISTÓW.

– Wreszcie – powiedział Tom jak ktoś oszołomiony lub spowolniony. Jakby był bardzo zmarznięty albo obudził się właśnie z głębokiego snu. – Powinniśmy udać się na „Olimp". On nas ochroni.

Możliwe, że był w szoku. Mason też się tak czuł. Nie był pewien, co odpowiedzieć. Wiedział tylko, że nic z tego nie wydawało się realne. Ręce mu nieco zdrętwiały.

Resztki floty ZDK zaczęły jednocześnie stawiać bramy. Ale technika była zbyt wolna. Tremiści byli w stanie pociąć laserami bramy na wirujące kawałki, lśniące niczym głownie w palenisku, pozostawiając okręty unieruchomione, dopóki nie postawiły następnej. Na oczach Masona (wydawało mu się, że przez ostatnie tysiąc lat robił tylko to – patrzył) duży „Izolator" nadleciał nad SS „Japonię" i porwał cały okręt do swojej ładowni, pozostawiając wirującą bramę.

– Kapitanie – powiedziała spokojnie Merrin, przywracając go do rzeczywistości.

Mason kiwnął głową; walka była przegrana, potrzebowali rozkazów.

– Postawić bramę – powiedział. – Spotykamy się z flotą przy „Olimpie".

Kilku kadetów westchnęło z ulgą i znów skupili się na swoich zadaniach.

Aż do chwili, kiedy powierzchnia kopuły rozmazała się nieco i na ekranie pojawił się ojciec Toma, wiceadmirał Bruce Renner.

Rozdział 32

Wiceadmirał nie wyglądał dobrze.

– Dzięki Bogu, jesteście cali – powiedział od razu.

Tak samo jak Tom miał ciemne włosy i oczy oraz krótką, przetykaną siwizną brodę. Teraz pozlepianą zakrzepłą krwią z rozcięcia nad prawą brwią, nos złamany, czerwony i zakrzywiony. Coś za jego plecami wypuściło migoczącą fontannę biało-pomarańczowych iskier.

– Gdzie matka? – spytał Toma, który siedział na stanowisku kierowania ogniem. – Co ty tu...?

Szybko zrozumiał. Dolna warga Bruce'a Rennera zadrżała, zacisnął szczęki. A potem skinął głową.

Tom zwiesił głowę i pozostał w całkowitym bezruchu. Wiceadmirał spojrzał teraz na Masona.

– Ty tu dowodzisz? – głos miał jak stal, taki sam jak matka Toma.

– Tak jest, sir – odparł Mason.

– Nie ma na pokładzie żadnego oficera?

– Tylko komandor Lockwood – Tom mówił spokojnie – ale jest ranny. Śmiertelnie.

Wiceadmirałowi przemyślenie tego zajęło dwie sekundy; w tym czasie jego twarz nie wyrażała żadnych emocji. Przez kopułę Mason widział, że bitwa trwa nadal. Bezdźwięczne eksplozje w każdym możliwym kolorze. Coraz więcej jednostek ZDK wymykało się z systemu i Mason wiedział, że oni też powinni podążyć w ich ślady, bo niedługo Tremiści namierzą „Egipt" na skraju pola walki.

– Wdarli się na pokład, tato – powiedział Tom. – Tremiści zabrali wszystkich albo ich zabili, myśmy się ukryli.

– Odzyskaliśmy okręt, sir – powiedziała Merrin.

– Widzę – odparł wiceadmirał. – Dobra robota. Nie chcę, abyście podążali z całą flotą na „Olimp". Macie rozkaz odlecieć do jakiejś odległej bazy i tam pozostać. W jakieś miejsce, którego Tremiści nie wezmą pod uwagę. Zrozumiano?

Wielka brama była już w połowie złożona do postaci sześcianu, zwijała się do środka, niczym umierający pająk. Nie minie wiele czasu, a będzie z powrotem gotowa do transportu.

– Nie, sir – odparł Mason bez namysłu. Kilku kadetów krzyknęło z zaskoczenia, ale co wiceadmirał mógł zrobić, wtrącić Masona do więzienia? – Przegrupowanie się przy „Olimpie" to błąd. Tremiści zabiorą bramę do Błękitnej Nori i ją także ukradną. Musimy ich powstrzymać.

Zamiast go skarcić, wiceadmirał wysłuchał tego z twarzą pozbawioną jakiegokolwiek wyrazu. Wyglądał na bardzo zmęczonego. Jego oczy były pełne łez, które nie były jeszcze gotowe, aby popłynąć.

Po czasie, który wydawał się ciągnąć w nieskończoność, kiwnął głową.

– Rozkaz przegrupowania wyszedł od samego wielkiego admirała Shahbaziana. Nie mogę go zignorować.

– Nie możemy pozwolić im zabrać obu planet – powiedział Mason.

Nagle zakręciło mu się w głowie. Kadet nie sprzeciwiał się rozkazom. Nie sprzeciwiał się rozkazom wielkiego admirała.

Załoga „Egiptu" wydała pomruk aprobaty; kadeci nie opuścili swoich stanowisk. To było dziwne: widok znikającej Ziemi powinien ich załamać, a sprawił, że czuli się niemal jak zwierzęta. Jak zwierzęta zagnane w kąt klatki, niemające już nic do stracenia. Mason był gotów walczyć o to, co pozostało ludzkości, dla tych miliardów, które zaginęły, a być może właśnie zamarzały na śmierć. Mason był gotów.

– Wiesz, jaki był cel misji „Egiptu"? – spytał wiceadmirał opanowanym tonem.

– Niezupełnie, sir.

– „Egipt" przewoził bramę, ale także i Zamek. – Za plecami admirała dalej sypał się deszcz iskier. Mason słyszał kroki, zabrzmiał jakiś alarm. Wiceadmirał znajdował się na pokładzie SS „Rosja", której załoga właśnie się ewakuowała. – Zamek był eksperymentalnym odpowiednikiem bramy. Jeśli brama zostałaby skradziona, Zamek mógł zostać wykorzystany, aby uniemożliwić wyrwanie planety z jej orbity. Jak się nazywa sztuczna inteligencja waszej jednostki?

– Elizabeth, sir.

– Witaj, Elizabeth – powiedział chłodno admirał. – Daj tym kadetom dostęp do Zamka.

– Gotowe.

– Ustawcie Zamek na powierzchni Błękitnej Nori –

powiedział. Patrzył teraz na swojego syna. – Tremiści będą w stanie w końcu namierzyć jego sygnał, ale da nam to czas, aby przenieść całą flotę do systemu. – Nagle pojawiły się wątpliwości. – Czy możesz to zrobić? Synu?

– Możemy to zrobić – odparli chórem Mason i Tom.

– Matka byłaby z ciebie dumna – powiedział Bruce Renner. – Ja jestem. Jestem dumny z was wszystkich. Nie jesteście już kadetami, lecz jednymi z najlepszych żołnierzy ZDK. A teraz lećcie, nim będzie za późno...

Niespodziewanie sygnał został przerwany.

– Elizabeth! – krzyknął Tom. – Gdzie jest „Rosja"?

Podświetliła symbol na kopule.

– Nietknięta, chorąży Renner, przekaz został przerwany przez...

I wtedy połączenie z nią zostało zerwane.

Obraz na kopule znowu się rozmazał; tym razem pojawił się na nim król Tremistów trzymający przy sobie Susan Stark z pazurem przyciśniętym do skroni.

Rozdział 33

– Susan! – krzyknął Mason.

Nie mógł się powstrzymać. Oczy Susan były podbite, jedno całkowicie zapuchnięte. Zdołała jednak uśmiechnąć się do Masona. Tak zwyczajnie, jakby nie była zakładnikiem kogoś, kogo uważano za najbardziej niebezpieczną istotę w całej galaktyce.

– Hej, braciszku – powiedziała.

To były najpiękniejsze słowa, jakie Mason kiedykolwiek słyszał. Obiecał sobie, że potem przyrzeknie siostrze, że nigdy, przenigdy nie zrobi już żadnego głupiego kawału. A przynajmniej nie zrobi go jej.

Ciemna maska króla zdawała się unosić tuż obok twarzy Susan, gotowa pochłonąć ją niczym czarna dziura.

– Mason Stark – stwierdził król chrapliwie, wyraźnie, choć nieludzko.

– Tak – odparł Mason.

Założył ręce za plecy i zacisnął. Obecnie tylko one drżały. Susan była w niebezpieczeństwie, ale wciąż żyła, oddychała, jej serce biło. W tej chwili miażdżąca porażka Ziemian się nie liczyła. Mason wiedział, że nie powinien tak myśleć, ponieważ żołnierz ZDK musi być lojalny przede wszystkim wobec ZDK, ale teraz nic go nie obchodziło.

– Wyjaśnię to krótko – powiedział król. – Dostarczysz mi dziewczynę, Merrin Solace, albo ostatni raz widzisz swoją siostrę żywą.

Mówił tak, jakby nie widział Merrin siedzącej kilka metrów przed ekranem, w miejscu, w którym mógł ją dokładnie zobaczyć.

Mason właśnie miał zamiar odpowiedzieć – nie był pewien, co dokładnie powinien powiedzieć, niemniej miał taki zamiar – kiedy Merrin powoli obróciła się na swoim fotelu, z dala od ekranu, i ułożyła wargi tak, aby Mason mógł odczytać ich ruch i zrozumieć...

Słowo to brzmiało: „zakładnik".

– Proszę, nie zmuszaj mnie – powiedziała zaraz potem głośno, z udawanym przerażeniem w głosie. Nie zabrzmiało ono zbyt sztucznie.

„Zakładnik" powiedziała. Król włożył bardzo wiele wysiłku w to, aby odzyskać córkę, więc na pewno wiele dla niego znaczyła.

– A gdzie jest Ziemia? – spytał Tom.

Mason poczuł, że czerwieni się ze wstydu. Martwił się o swoją siostrę, kiedy stawką był los całej planety. Wiedział jednak, że nie uda się raczej zażądać zwrotu Ziemi, po co więc w ogóle o tym mówić? Nawet jeśli król zgodziłby się oddać planetę za życie córki, wielka brama wciąż się składała i raczej nie znajdowała się w pobliżu miejsca, do którego trafiła Ziemia.

Mason musiał jednak działać szybko albo podstęp się nie uda. Przybrał poważny wyraz twarzy i podszedł do miejsca, gdzie siedziała Merrin, po czym złapał ją za kark i podniósł z fotela. Dała się pociągnąć, udając, że się mu wyrywa. A potem, działając wbrew emocjom, przyłożył swoją strzelbę fotonową do głowy Merrin i stanął jak odbicie króla. Oblał się potem, żołądek to podjeżdżał mu do gardła, to opadał. Na pewno teraz zwymiotuje.

Załoga mruczała coś po cichu, najwyraźniej zaskoczona i niepewna, co z tym zrobić. Tom obserwował Masona kątem oka, ale nie wyglądał na zaskoczonego; najpewniej ze swego miejsca też widział, jakie słowo wypowiedziała Merrin.

Z powodu zasłony Mason nie wiedział, jaka była reakcja Tremisty. Twarz Susan miała dalej taki sam wyraz, głównie dlatego, że była zbyt spuchnięta – tylko jej usta nieco się rozchyliły.

Mason odezwał się pierwszy:

– Nikt nie dotknie kapitan Stark – powiedział. Dziwnie się czuł, mówiąc to; w końcu on też był w pewnym sensie kapitanem Starkiem. – Jak widzisz, mam coś, co mogę dać za jej życie.

Te słowa dziwnie brzmiały w jego ustach, jakby zbytnio starał się wyrażać jak dorosły. Musiał jednak w jakiś sposób pokazać królowi, że mówi poważnie.

– Zagroziłbyś jednemu ze swoich? – spytał król po mniej więcej minucie.

– Chyba właśnie to zrobiłem – odparł Mason.

– Proszę... – szepnęła Merrin, nieco szarpiąc się w uścisku Masona.

Chciał przeprosić, nawet jeśli to był jej pomysł. Czuł się tak źle. Musiał mocno przyciskać broń do jej skroni, aby nie było widać, jak bardzo się trzęsie. Przeprosi później. Co prawda to wszystko było na niby, ale wystarczyło nacisnąć guzik, aby zakończyć życie Merrin. Mason chciał rzucić strzelbę na drugi koniec pomieszczenia. Wolałby raczej ściskać gorący węgiel.

– Zatem wymiana.

Susan bardzo delikatnie pokręciła głową. Oczywiście powinna być przeciwko kontaktom z królem lub kimś z jego załogi. Ale Mason nie mógł po prostu jej zostawić. Nie mógł powiedzieć jej „do widzenia" i wyłączyć ekranu.

– Na neutralnym gruncie – powiedział szybko Mason.

Nie zamierzał wchodzić na pokład „Sokoła" i łudzić się, że pozwolą mu odejść. Nie ma takiej możliwości. Król nieco przechylił głowę, jakby przyglądał się Masonowi przez ekran. Chłopak stał jak wcześniej, nie zwracając uwagi na kapiący pot. Oczekiwanie na odpowiedź ciągnęło się w nieskończoność. Na mostku nikt nie drgnął.

– Na Błękitnej Nori – dodał Mason.

Doszedł do wniosku, że to był jedyny neutralny grunt, jaki kiedykolwiek istniał. Wymiana będzie zasłoną: jeśli „Egipt" miał się tam udać w sprawie wymiany jeńców, nikt nie będzie podejrzewał celu misji. Muszą tylko umieścić Zamek tam, zanim „Sokół" nadleci.

– Dobrze – zgodził się Tremista.

Susan opuściła głowę.

– Mason, nie idź na to – powiedziała.

Król zignorował ją i powiedział:

– Jeśli mnie zdradzisz, młody kapitanie, uczynię jej śmierć milion razy gorszą. Postaram się, by trwała całe lata.

Mason poczuł w gardle metaliczny posmak.

– Nie zdradzę.

Rozdział 34

Obraz zniknął z kopuły, znów można było oglądać czerń kosmosu i unoszące się w przestrzeni spalone, poskręcane wraki. Flota Tremistów zaczęła znikać, przeskakiwała w nadświetlną, wykorzystując technologię, którą inżynierowie ZDK dopiero usiłowali naśladować. Jednostki wroga wyglądały jak spadające gwiazdy: jasne, białe linie znikające równie szybko, jak się pojawiły. W oddali komputer namierzył królewskiego „Sokoła"; oddalał się, nabierając mocy do skoku w nadświetlną.

Przechodząc przez bramę, zyskają nieco czasu, ale „Sokół" nie pozostanie zbytnio w tyle.

Merrin potarła kark, za który trzymał ją Mason. Chłopaka paliły policzki, czuł wstyd, nawet jeśli wszystko było udawane. Uderzyła go lekko w ramię.

– Dobra robota. Miałam nadzieję, że tego nie skopiesz.

Mason zmusił się do uśmiechu, a potem roześmiał na całe gardło. Śmiech eksplodował wewnątrz niego, zarówno z napięcia, jak i ulgi.

Przestał się śmiać, kiedy chłopak z trzeciego roku, siedzący za pulpitem po jego prawej stronie zapytał:

– Na górę Zeusa, o co w tym wszystkim chodziło?

O ile Mason dobrze pamiętał, był to chłopak imieniem Kale. W tej chwili nie myślał zbyt szybko. Inny dodał:

– Właśnie. Co tu się dzieje?

Mason nie zamierzał powiedzieć: „A wiecie, że dziewczyna pilotująca „Egipt" nie tylko jest Tremistką, ale i córką króla?! Mimo to dalej możemy jej ufać!".

Zamiast tego powiedział:

– Wiecie to, co musicie wiedzieć. Nie rozpraszajcie się.

– A co z Ziemią? – spytał Kale.

Teraz doczekał się odpowiedzi:

– Tremiści nie są głupi – powiedział Mason. – Zapewne są cwańsi od nas. Oznacza to, że nie zniszczyliby tak po prostu naszej planety. Wtedy mogliby być pewni, że spadniemy na nich ze wszystkim, co mamy. Wiedzą, że jeśli kiedykolwiek znaleźlibyśmy ich świat, to moglibyśmy skazić go zaledwie kilkoma rdzeniami z silników naszych okrętów. Co więc mogliby zrobić?

Tym razem odpowiedział Tom, spokojnie i stanowczo:

– Wzięli ją jako zakładnika. Wykorzystają, nie zniszczą. Założę się, że w całej galaktyce nie ma lepszej karty przetargowej.

– Ja też – odparł Mason, uśmiechając się do niego.

Musiał w to wierzyć. Ziemia była bezpieczna. Inaczej po co mieliby walczyć?

– Nie rozpraszajcie się – powtórzył Mason, starając się nadać swojemu głosowi jak najbardziej zdecydowany ton.

Kadeci byli przede wszystkim członkami ZDK, więc po chwili marudzenia wrócili do swoich obowiązków.

* * *

Merrin zmieniła kurs, by mogli opuścić przestrzeń do niedawna zwaną okołoziemską, potem Mason zarządził postawienie bramy. Na pokładzie pozostało ich zaledwie kilka, ponieważ nie było czasu zbierać tych wykorzystanych. Oznaczało to, że musieli liczyć każde przejście. Jedno do Błękitnej Nori, jedno, aby wrócić. Do tego kilka dodatkowych na wypadek, gdyby musieli wykonywać jakieś dodatkowe skoki dla uniknięcia Tremistów.

Kiedy brama się rozwijała, Mason zapytał Elizabeth, gdzie znajduje się Zamek. Był w niewielkim magazynie w części mieszkalnej. Sprytne. Mason spodziewał się, że będzie gdzieś w części inżynieryjnej, gdzie trzymano wszelkie urządzenia. Gdyby kadetom nie udało się odzyskać „Egiptu", znalezienie Zamka zajęłoby Tremistom znacznie więcej czasu.

Kiedy Elizabeth doradziła, aby przeniosło go czterech kadetów, Mason zabrał tam ze sobą Toma, Stellana i Jeremy'ego.

– Proszę skręcić tu w prawo, kapitanie – powiedziała Elizabeth, kiedy maszerowali korytarzem.

Mason jeszcze raz był porażony tym, jak pusty stał się okręt. Zjechali windą dwa poziomy niżej, potem Elizabeth kazała im zatrzymać się przy – zdawałoby się – całkiem przeciętnych starych drzwiach prowadzących do całkiem przeciętnego starego pomieszczenia; biura albo kwatery jakiegoś oficera.

Jednak drzwi były zamknięte, a otwarcie ich zajęło Elizabeth całe dziesięć sekund.

– Tam musi być jeden Zamek na drugim – powiedział Tom cicho, jakby do siebie.

Kiedy drzwi wreszcie stanęły otworem, Mason zobaczył, że miały niemal trzydzieści centymetrów grubości. To nie była zwykła kajuta. Pomieszczenie było małe i przypominało wnętrze sześcianu. Mason miał już dość sześcianów. Dwie ściany zastawione były ciężkimi szafkami magazynowymi. Na ścianie na wprost wejścia wisiały cztery duże plecaki myśliwskie. Zaś na środku stał Zamek.

Teraz Mason zrozumiał, dlaczego do jego przenoszenia potrzebne są cztery osoby: urządzenie składało się z czterech części. Cztery walce ustawiono, jakby były rogami nieistniejącego kwadratu. Stronami świata zabytkowego kompasu. Każdy element miał ponad metr wysokości, można było go nieść niczym piłkę, przyciskając do piersi. Każdy z nich doskonale mieścił się w plecaku.

– Pakujemy to – zarządził Mason i zabrali się do pracy. Cylindry były bardzo ciężkie i kadeci czuli, że dźwiganie Zamka przez dłuższy czas będzie problemem. Kiedy Mason założył plecak, jego grzbiet głośno zaprotestował.

– Jak to się uruchamia, Elizabeth? – zapytał Tom.

– Ustawiacie walce w tej samej pozycji – odparła Elizabeth. – Powinny uruchomić się same, kiedy Zamek wyczuje, że jest na powierzchni Błękitnej Nori.

– „Powinny"? – spytał Stellan.

Był zdenerwowany, spocony i blady. Prawdopodobnie dlatego, że miał dość rozumu, by wiedzieć, że Mason wybierze go do ekipy wysłanej na powierzchnię z zadaniem rozstawienia Zamka.

– Jak wiecie – oznajmiła beztrosko Elizabeth – Zamek jest urządzeniem ściśle tajnym i mam tylko ogólne informacje o jego działaniu.

– Fantastycznie – mruknął Mason, po czym cała czwórka zaniosła ciężkie plecaki na mostek. Kiedy tam dotarli, Mason znów przekazał dowodzenie Jeremy'emu. Ten prawie zaczął się dąsać – prawie. Mason wiedział, że chciałby być z nimi na planecie, w centrum wydarzeń, ale jeśli wszystko pójdzie dobrze, nie będzie za wiele się działo. Bardziej był potrzebny tutaj, choć Mason byłby szczęśliwy, gdyby Jeremy pilnował jego pleców.

– Rozumiem – powiedział cicho Jeremy. – Zajmę się wszystkim.

Mason kiwnął głową Merrin, ta podeszła do nich. Znowu, z Tomem i Stellanem, była ich czwórka.

– Uch – stęknęła Merrin, zakładając plecak. – Co jest w środku, osm?

Nie wyglądała na zdenerwowaną rozwojem zdarzeń. Albo wspaniale udawała opanowanie. Oczywiście Mason nie odda jej ojcu, a ona oczywiście o tym wiedziała, ale znów będą blisko króla i jego Rhadgastów.

Kiedy Tom i Stellan przekazywali zastępcom swoje stanowiska, Mason odciągnął Merrin na bok.

– W porządku? – spytał.

Uniosła fioletową brew, po czym wzruszyła ramionami.

– Czy wyglądam, jakby coś było nie w porządku?

– Wyglądasz wspaniale. To znaczy, normalnie. Ale chciałem się upewnić. Nie mogę wyobrazić sobie jak... więc jeśli chcesz porozmawiać... albo powinnaś...

– Nie obchodzi mnie teraz moja przeszłość.

Być może Masonowi tylko się wydawało, ale odniósł wrażenie, że jej głos zadrżał nieco.

– Chciałem tylko upewnić się, czy wszystko w porządku – powiedział. – Tylko to. Możemy porozmawiać o wszystkim, o czym tylko chcesz.

– Znasz mnie – stwierdziła. – Jestem dobrym żołnierzem.

Nie była to tak naprawdę odpowiedź, ale Mason wiedział, że dziewczyna się nie załamie. Ta jego część, która po prostu była przyjacielem Merrin, nie dowódcą, cierpiała. „Jej ojciec jest królem naszych wrogów" – powtórzył sobie te słowa w głowie i wciąż trudno mu było w nie uwierzyć. „To właśnie przez jej ojca twoi rodzice nie żyją".

Nieważne. Nieważne. Nie jesteś tego całkowicie pewien. Mason wolałby umrzeć, niż pozwolić, aby ta sprawa zepsuła ich stosunki. Ona nie była temu winna. Nawet odrobinę. Merrin uścisnęła go za ramię, nim zdołał powiedzieć coś więcej, a potem sprawdziła, jak radzi sobie Willa, która przejmowała stery.

Dwadzieścia sekund później cała czwórka biegła najszybciej, jak tylko mogła do hangaru wahadłowców. Zatrzymali się na chwilę przy jednym z mniejszych barów, aby uzupełnić płyny i zjeść kilka proteinowych batonów. Nie było czasu na sen, ale jedzenie mogło dodać im nieco energii. Wydawało się, że walczą przez długie tygodnie, choć w rzeczywistości nie minął jeszcze nawet dzień.

– Szkoda, że kucharza już nie ma – marudził Stellan.

– Nie smakuje ci tektura? – spytał Tom. – Setki lat ludzkiej inżynierii i te rzeczy dalej paskudnie smakują.

– Przynajmniej woda jest dobra – dodał Mason, otwierając z trzaskiem ostatnią butelkę.

A potem znów biegli.

Mason cieszył się, że hangary były tak blisko, ponieważ dźwiganie fragmentu Zamka sprawiało, że ramiona piekły go, jakby chodziły po nich ogniste mrówki. Po drodze nikt się nie odzywał, oszczędzali oddechy. Mason i Tom przegryźli ostatni batonik i podzielili się ostatnią butelką wody. Dopiero kiedy dotarli do hangaru, Mason odwrócił się i powiedział:

– Potrzebuję was wszystkich. Jesteście najlepsi. Jeśli jednak wolicie zostać, to macie na to ostatnią szansę. Nie wiem, co się stanie na planecie ani czy „Egipt" będzie mógł zostać tu na tyle długo, aby nas zabrać.

Mason wyobraził sobie, jak żyją na powierzchni, budując domy na drzewach i polując na zamieszkującą tutejsze lasy zwierzynę. Jeśli będą mieli szczęście, znajdą opuszczoną bazę Tremistów lub ZDK, w której będą mogli zamieszkać.

Stellan uniósł rękę.

– Chciałbym... – głos mu się załamał.

– Proszę cię – powiedziała Merrin, z oburzeniem odrzucając włosy za ramię. – Jak bym mogła to przegapić.

Może udawanie, że się nie boi, było jcj sposobem na poradzenie sobie z całą sytuacją, tak jak Mason udawał, że jest odważny.

Tom nic nie powiedział, ale nie musiał. Rozkaz został wydany przez jego ojca, a Mason doszedł do wniosku, że nie może powstrzymać kolegi przed wzięciem udziału w misji. Nie żeby chciał to zrobić. Tom kilka godzin temu stracił matkę, ale trzymał się twardo. Czy gdyby Mason widział, jak z tamtego pomostu spada Susan, trzymałby się tak samo? Czy dalej wykonywałby swoje obowiązki? „Nie wiem" – pomyślał.

Stellan opuścił rękę i westchnął.

– Dobra... wchodzę w to.

Mason wpisał kod otwierający drzwi hangaru. Przez przezroczystą ścianę po lewej widział puste pomieszczenie i wspomniał chwilę, kiedy wyszli w przestrzeń, by wysadzić sześcian. Wtedy wiedział, że jedyne, co może zrobić, to dać z siebie wszystko. Teraz będzie musiał spróbować ponownie.

Wahadłowiec był modelem transportowym klasy „Smok", co znaczyło, że jest szybki. Wyglądał, jakby ktoś wziął dwa duże trójkąty, skleił w rogach, a potem nadmuchał, przemieniając w wypukłe bryły, połączone w trzech punktach, jak częściowo napełniony balon. Czekał na nich dokładnie na środku hangaru.

Mason opuścił tylny właz i znaleźli się w małym przedziale towarowym, z dwiema ławkami zastawionymi różnym sprzętem mogącym przydać się w zdobywaniu dziwnego, nowego świata. Mason przeszedł do kabiny pilota, w której wąski pasek okna, otaczający całą górną połowę wahadłowca zapewniał widok na wszystkie strony.

Tom uruchomił system, włączył silniki, aby się rozgrzały. Stellan zabezpieczył plecaki z Zamkiem. Merrin weszła do kokpitu łączącego się z tylnym przedziałem i zdjęła rękawicę Rhadgasta.

– Nie chcę jej – powiedziała, oddając ją Masonowi. Chłopak, biorąc rękawicę, przypadkowo dotknął grzbietu suchej i ciepłej dłoni przyjaciółki. Merrin przygryzła wargę.

– Dlaczego? – spytał.

– Wolę strzelbę. Ta rękawica nie wydaje mi się właściwa. Jakby ona... – Przerwała nagle.

– Jakby ona co? – Mason wyczuł w jej fioletowych włosach dziwny zapach, którego wcześniej nie zauważył.

Tom udawał, że nie słucha. Silniki powoli się rozgrzewały od niskiego gardłowego „buuuurrr" do wysokiego „iii".

– Jakby chciała być z drugą rękawicą – dokończyła.

Mason spojrzał na swoją prawą rękę i rękawicę, którą teraz trzymał w lewej. Ta po lewej była teraz rozciągnięta, bo zdjęta z ręki Merrin, wiedział jednak, że kiedy ją założy, dopasuje się idealnie, kończąc na ramieniu. Materiał, z którego była wykonana, wydawał się podobny do szorstkiej gumy, ale na tyle cienkiej, by można było wykonywać precyzyjne ruchy palcami.

– Jesteś pewna? – spytał.

Noszenie obu rękawic wydawało się chciwością, ale Tom nie prosił o nią, a jeśli Mason miał być szczery, to chciał włożyć obie. Chciał posiadać całą moc Rhadgasta.

Merrin poklepała go po ramieniu.

– Tak – powiedziała i zniknęła w przedziale. Mason słyszał, jak przypina się pasami do ławki.

W głośnikach wahadłowca rozległ się głos Jeremy'ego:

– Znajdujemy się na wysokiej orbicie nad Błękitną Nori.

– Dzięki, Jer – odparł Tom, wpisując położenie w komputer.

Wyliczy on dokładny kurs, jakim powinni wejść w atmosferę, przy jak najmniejszym oporze. Gdyby weszli pod złym kątem, w krótkiej chwili zmieniliby się w skwarki.

– Jesteś gotowy? – spytał Mason Toma.

– Pewnie, że nie – odparł tamten. Siedząc na fotelu drugiego pilota, przyciągnął do siebie konsolę nawigatora.

Mason zdjął płytki pancerza z lewej ręki, po czym założył drugą rękawicę Rhadgasta. Po krótkiej chwili skurczyła się niczym druga skóra, obejmując rękę aż do ramienia. Czuł, że jest zmęczony do szpiku kości, ale jego ręce i przedramiona zdawały się... silne. Noszenie obu rękawic wydawało mu się właściwe, choć nie mógł tego wytłumaczyć. Popatrzył na wnętrza swoich dłoni, poruszył palcami, poczuł budzącą się w nich energię. Czekała na jego rozkaz.

– Ja też nie – odparł cicho.

– Ale i tak to zrobimy. Pas jest wolny – dorzucił Tom.

– Gotowy – powiedział Mason.

– Gotowy – odparli chórem Stellan i Merrin z tyłu.

Mason nacisnął wielki czerwony guzik na suficie i pod wahadłowcem nie było już podłogi – w jednej chwili był tam metal pokładu, w drugiej atramentowa czerń kosmosu, z zieloną kulą Błękitnej Nori przed nimi.

Powietrze wyleciało z pomieszczenia, zabierając ze sobą pojazd. Czwórka kadetów ruszyła w stronę planety, w stronę ostatniej nadziei ludzkości.

Rozdział 35

Kompensatory przeciążeń zmniejszyły nacisk wywierany na ciała, ale Mason i tak odczuł, jak szybko się poruszają. Kiedy tylko oddalili się od okrętu, otworzył do oporu przepustnicę przy lewym nadgarstku. W ciągu kilku sekund zaczęli poruszać się z szybkością równą czterem procentom prędkości światła. Podwójne silniki „Smoka" wyły, jednak odczuwane wibracje były minimalne. Wielka zielona planeta stawała się coraz większa. Właściwie w ogóle nie było chmur, tylko przestrzeń niekończącej się zieleni.

A potem weszli w atmosferę. Okna nagle stały się nieprzejrzyste – wypełniły je czerwone i pomarańczowe płomienie. Mason przymknął nieco przepustnicę, ze wściekłym bzyczeniem uruchomiła się klimatyzacja. Zimne powietrze uderzyło go w twarz, jednak od piersi w dół czuł się jak ugotowany.

Przyciągnął do siebie drążek sterowniczy, aby wyrównać, może poszybować przez kilka tysięcy kilometrów, lecz ten niespodziewanie wyrwał mu się z dłoni. Złapał go ponownie, mając serce w gardle, jednak drążek ani drgnął. Wahadłowiec spadał, płomienie w pewnym momencie znikły, a Mason zobaczył drzewa. Las ciągnął się we wszystkie strony, jak daleko sięgał wzrok.

– W górę! – krzyknął Tom.

– Próbuję! – Pociągnął z całej siły, ale pojazd dalej spadał. – Elizabeth, kontroluj to coś!

Brak odpowiedzi. Niespodziewanie wahadłowiec wyrównał, wciskając Masona w fotel, a potem tak ostro skręcił w prawo, że gdyby nie włączone kompensatory, zostaliby w swoich fotelach zmiażdżeni.

– Elizabeth! – krzyknął znów Mason.

Pojazd skręcał, dopóki nie zwrócił się w całkowicie przeciwną stronę, ku południowej półkuli zwanej, mało oryginalnie, Południowym Lasem. Było to miejsce, którego ZDK nawet nie zaczęła jeszcze nanosić na mapy. Niektórzy żołnierze nazywali je Dzikie Ziemie. Przepustnica po lewej stronie Masona ustawiła się na pełną moc, aż gnali ponad drzewami z prędkością przekraczającą czternaście razy prędkość dźwięku.

– Co ty wyrabiasz? – zawołała z tyłu Merrin, a chwilę potem dodała: – Stellan się właśnie porzygał.

Mason obejrzał się przez ramię. Merrin siedziała z szeroko otwartymi oczami, a za nią, przez pas przezroczystego, wzmacnianego szkła widać było uginające się pod impetem ich przelotu drzewa, wyglądające niczym fala zostawiana przez łódź.

– Nic nie robię – odparł Mason tak spokojnie, jak tylko potrafił.

Przez sekundę myślał, czyby nie potraktować urządzeń prądem z rękawic, ale uznał, że to byłoby najgorsze rozwiązanie. Gdyby doszło do awarii napędu, uderzyliby w drzewa z prędkością, bagatela, dwudziestu pięciu tysięcy kilometrów na godzinę.

Pięć sekund później silniki zaczęły zwalniać, a wskaźnik prędkości spadł. Drzewa przestały być zielonymi smugami i można było je odróżnić. Dwie sekundy później lecieli już z bezpieczną prędkością trzystu kilometrów na godzinę. Widać było, że to nie awaria wahadłowca, tylko czyjeś zdalne sterowanie.

Tom pierwszy zobaczył budynek.

– Patrzcie!

W oddali widać było wysoką, wąską budowlę. Z początku Mason sądził, że to dzieło ZDK, ale nie – bazy ZDK były niskie i zlewały się z otoczeniem, aby zwiadowcy Tremistów nie mogli ich łatwo zauważyć. Poza tym znaleźli się już zbyt daleko na południu.

A potem nagle zawiśli nad nim i Mason zobaczył to wyraźnie.

Był to rodzaj starożytnego wieżowca. W połowie wysokości został zniszczony, a jego kawałki leżały rozrzucone po leśnej polanie. Wyglądało to tak, jakby uderzył w niego gigant, rozbijając górną część na kawałki. Pojazd, nadal nie reagując na polecenia Masona, opadł kilkaset metrów na polanę, między dwie duże i niszczejące części budynku. Wieżowiec nie był duży, nie według ziemskich standardów. Jeśli zebrałoby się leżące kawałki, wyglądałby jak te ziemskie, z dwudziestego pierwszego lub drugiego wieku, zanim na starych miastach nie zbudowano nowych. Budynek wzniesiono z jakiegoś srebrzystego metalu, który w bujnym lesie wydawał się całkowicie nie na miejscu. Metalowa powierzchnia została pocięta tak, aby utworzyć wzór podobny do układu cegieł; teraz odbijało się w niej światło błękitnego słońca. Wahadłowiec delikatnie osiadł na trawie.

Ekran na konsoli zamigotał sygnałem nadchodzącym z bazy ZDK na północy, ale Mason nie mógł na niego odpowiedzieć. System nie chciał zareagować. Układy wahadłowca wyłączyły się z głośnym westchnieniem, pozostawiając ich tylko z odgłosem stukania metalu. Z poziomu gruntu drzewa wydawały się ogromne, przewyższające wieżowiec i zasłaniające większość światła. Na dole wydawało się, że zaczyna już zapadać zmierzch.

– Co się stało? – spytał słabo Tom.

– Nie wiem – odparł Mason.

Tom usiłował wyciągnąć mapę tego rejonu, ale wtedy właśnie wahadłowiec całkowicie się wyłączył, pozostawiając ich w niemal zupełnych ciemnościach, jeśli nie liczyć kilku czerwonych lampek awaryjnych umieszczonych na podłodze i suficie.

Mason wcisnął guzik zapłonu, ale pojazd pozostawał martwy.

– Mam złe przeczucia – powiedziała Merrin.

– Eee... ja też – dodał Stellan.

– Chyba pora wysiadać – powiedział Mason. Tak naprawdę nie mieli jeszcze żadnego planu. Musiał jakoś nakłonić króla, aby oddał mu siostrę, nie zabierając przy tym Merrin... tylko tyle wiedział. Może sprowadzenie dziewczyny było złym pomysłem; gdyby im się nie udało, zostałaby pojmana. Ale gdyby im się nie udało, a ona zostałaby na „Egipcie", nadal miałaby szansę. „Za późno" – pomyślał Mason.

Idąc ku rampie wahadłowca, Mason czuł się lżejszy – Błękitna Nori miała mniejszą masę niż Ziemia, a więc i grawitacja była tu niższa. Rampa opadła i do środka wtargnęło duszne powietrze dżungli. Słodkie, ciężkie i wilgotne, nieco cierpkie osiadało na tylnej ściance gardła. Zszedł po rampie i stanął koło jednego z rozbitych fragmentów wieżowca. Metal wyglądał na bardzo stary, był pokryty pyłem i zniszczony przez upływ czasu. Bardzo długiego czasu.

To stało w sprzeczności ze wszystkim, co Mason wiedział: uważano, że na Błękitnej Nori nie ma istot rozumnych, ale przecież wieżowiec nie zbudował się sam, nie był raczej dziełem ZDK czy Tremistów. Chyba że obcy dowiedzieli się o tej planecie dużo wcześniej.

Na drzewach tutejsze odpowiedniki ptaków i owadów wydawały dziwne odgłosy; był to rodzaj gromadnego szczebiotu, w którym nie dało się odróżnić pojedynczych dźwięków. Masona to drażniło. Przypomniał sobie lekcję w ramach nauki o życiu w koloniach ZDK. On i koledzy z czwartego roku oglądali nagrania świergoczących, podobnych do nietoperzy stworzeń, przeskakujących z gałęzi na gałąź, nocujących na drzewach, które mogły opuścić gałęzie na sam dół, aby odepchnąć futrzaste, dwunogie stworzenia, przychodzące żuć delikatniejsze korzenie. Przypomniał sobie ptaka, który wcale ptakiem nie był – miał rozmiar grubej ważki, ale wyglądał jak miniaturowy kot z mnóstwem par maleńkich skrzydełek rozłożonych wzdłuż grzbietu. Zwierzęta te wydały mu się bardzo słodkie, dopóki nie dowiedział się, że większość z nich byłaby w stanie go zabić.

Teraz, kiedy wylądował na planecie, poczuł nagle, że wcale mu się tutaj nie podoba; Błękitna Nori przyprawiała go o dreszcze. Zdecydowanie bardziej odpowiadał mu twardy pokład pod nogami.

Ale mieli tu zadanie do wykonania.

– Rozstawmy Zamek i zabierajmy się stąd – powiedział.

Wrócili do wahadłowca, zabrali plecaki i wyszli z powrotem. Pobiegli w las, mając wieżowiec cały czas po prawej stronie. W półmroku wydawał się już nie srebrny, lecz złoty. Gdyby usunąć warstwę brudu, mógłby wyglądać naprawdę majestatycznie. Mason zatrzymał się tuż za granicą drzew, w miejscu, gdzie roślinność nad ich głowami była tak gęsta, że właściwie nie przepuszczała żadnego światła. Drzewa w górze chwiały się, ale Mason nie wiedział, czy to z powodu wiatru, czy może były to drzewa, które mogły się poruszać.

Skup się. „Sokół" króla niedługo tutaj będzie, o ile już nie dotarł, a Mason chciał być pewien, że do tego czasu jego grupa opuści okolice Zamka. Miał nadzieję, że wahadłowiec będzie w stanie wystartować.

Mason odsunął nogą kilka martwych korzeni i mniejszych roślin; postawili swoje cylindry na ziemi, rozmieszczając je tak, jak stały na „Egipcie".

– Twój stoi zbyt blisko Masona – powiedział po chwili Stellan do Toma.

Tom poprawił.

– Za daleko – ocenił Stellan.

– Próbuję...

Trzask i syk. Cylindry rozświetliły się, wydając przy tym delikatny szum. Zamek został uaktywniony.

– To było proste – powiedziała Merrin.

– Ty, mądrala – odezwał się Tom do Stellana – co sądzisz o tej wieży?

– Dawno wymarła obca cywilizacja – odparł tamten bez wahania. – Nie ma innego wytłumaczenia, chyba że odbylibyśmy podróż w czasie, a taka jest niemożliwa. Tak więc nie ma innego wyjaśnienia.

W tej chwili teorie nie zapewnią im bezpieczeństwa. Wieżowiec kusił, a Mason nie mógł zapomnieć, że wahadłowiec sam ich tu sprowadził. Czy to było w ogóle możliwe? Czy Elizabeth już wcześniej wybrała to miejsce i im o tym nie powiedziała?

Mason stuknął za uchem, aby nawiązać połączenie z „Egiptem".

– Jeremy, co tam widać w górze?

– Kosmos. W większości ciemny.

– Informuj mnie na bieżąco – odpowiedział Mason. – Czy z Elizabeth wszystko w porządku?

– Tak? O co ci chodzi?

– Możesz mnie z nią połączyć?

Nastała chwila ciszy, po której usłyszał:

– Nie odpowiada. Ale nadal jest podłączona do sieci i działa.

To sprawiło, że włoski na rękach Masona stanęły dęba pod rękawicami. Niepokoił go brak kontaktu z Elizabeth, ale z drugiej strony to znaczyło, że nie musiał się z nią konsultować, przynajmniej dopóki nie opuszczą planety. „Sokoła" jeszcze nie było, mieli więc nieco czasu. A ciekawość zaczęła brać w nim górę.

– Uruchom wahadłowiec – powiedział do Toma.

– Proszę – podpowiedział Tom.

– Uruchom, proszę, wahadłowiec – powtórzył Mason, choć teoretycznie był przełożonym Toma. Teraz jednak nie miało to znaczenia.

– Ej, a ty gdzie się wybierasz? – spytał Tom.

Mason szedł w stronę drzwi budynku. Wieżowiec był duży, ale drzwi małe, właściwie nie były to nawet drzwi, tylko pionowa prostokątna dziura, za którą widać było ciemność.

– Muszę wiedzieć, dlaczego zostaliśmy tu sprowadzeni – odpowiedział.

– Przecież Stellan też może uruchomić „Smoka" – zauważył Tom. – Idę z tobą.

– Jak najbardziej mogę! – powiedział Stellan, biegnąc w stronę rampy.

Mason spojrzał na Merrin, która uniosła fioletowe brwi.

– Sprawdźmy to.

Gdyby wnętrze było wytrzymałe, może mogliby wykorzystać je przeciwko królowi: zwabić Tremistów do środka, a potem przechwycić Susan w ciemnościach, albo coś takiego. Potrzebowali jakiejś przewagi niezależnie od wszystkiego. Gdyby wymiana miała nastąpić na otwartym terenie, Mason przeczuwał, że na końcu wszyscy zaliczyliby przejażdżkę królewskim okrętem.

Podeszli do wieży, formując klin – Mason z przodu, pozostali z tyłu, nieco rozsunięci, aby nie stanowić jednego dużego celu. Mason trzymał ręce w pogotowiu, czuł, jak energia przesuwa się po wnętrzu jego dłoni, łaskocze. Im bardziej się zbliżali, tym cichszy wydawał się świergot dookoła, jakby wieża w jakiś sposób go tłumiła. Po dziesięciu krokach stał się bardzo cichy, a po następnych pięciu ucichł całkowicie. Jakby przeszli przez rodzaj tarczy zatrzymującej odgłosy.

Mason obrócił się: za nimi wszystko wydawało się w porządku. Stellan pomachał im z kokpitu wahadłowca. Merrin mu odpowiedziała.

– Dziwne – powiedział Tom.

Wejście znajdowało się teraz dokładnie przed nimi, a wnętrze skrywały cienie. Mason przełknął ślinę i pomyślał sobie, że skoro zaszedł aż tak daleko... Potem ruszył do wnętrza wieży, a przyjaciele za nim.

Nie byli jednak przygotowani na to, co znajdą w środku.

Rozdział 36

Wokół nich wznosiły się kolumny, niknąc w mroku skrywającym sufit. Wszystko było brudne i zapyziałe. Jednak powietrze pachniało normalnie, nie było zatęchłe. Na ile Mason mógł się zorientować, cała wieża była jednym pomieszczeniem.

– Tam – szepnął Tom. – Przed nami.

Wskazał na kolumnę stojącą na samym środku. Była o kilka metrów wyższa niż Mason. Spoczywała na niej czarna kula, wyglądała jak piłka do koszykówki pomalowana najczarniejszą z dostępnych farb.

– Podejdźcie bliżej – głos wypełnił sobą całą wieżę. Wypełnił też UMYSŁ Masona. Chłopak nie był pewien, czy sobie tego nie wyobraził, dopóki Merrin nie mruknęła:

– Ta, jasne.

Jednak głos nie brzmiał wrogo, nie ociekał jadem. Przypominało to raczej zaproszenie.

Kula zaczęła świecić.

– Możecie podejść bliżej? Nie zmuszajcie mnie, abym do was przyszedł – rozległo się ponownie.

– Zastanawiam się, czy Stellan nie potrzebuje pomocy przy wahadłowcu – odezwał się Tom.

Mason też się nad tym zastanowił. Być może Stellan potrzebował ICH WSZYSTKICH, może powinni iść mu pomóc, najlepiej zaraz.

– Och, na miłość Adamsów, nie gryzę! – powiedział głos.

W mgnieniu oka kula uniosła się metr nad kolumną. Na powierzchni pojawił się idealny obraz jaskrawoczerwonego serca, które powoli biło.

– Widzicie? Kocham was.

Głos dobiegał z kuli.

Dlatego Mason zdecydował się dać jej jeszcze jedną szansę i zaczął iść w tamtą stronę. Kiedy znalazł się w połowie drogi, serce zmieniło się w wyraźne, jaskrawożółte słowo: DZIĘKUJĘ! Wyglądało to tak, jakby kula była okryta ekranem niczym pomarańcza skórką.

– Czekałem od tak dawna na wasze przybycie, że gdybym powiedział wam, jak długo, powiedzielibyście, że kłamię – rzekła kula.

Teraz pokazywała różne sceny z okolicznych lasów, niebo nad głową, zmieniające się w rytm uderzeń serca, a potem uśmiechniętą twarz.

– Jak długo?

– Zapomniałem. Ale... nieważne. Naprawdę nie macie czasu. Muszę wam coś powiedzieć, a potem wysłać was w dalszą drogę. Wasi wrogowie są blisko.

– Co... – zaczął Tom.

– Stać! – powiedziała kula. – To znaczy proszę, zatrzymajcie się. Nazywam się Dziecko. Jestem tworem Ludu, który jako ostatni zamieszkiwał tę planetę, zwaną przez was Błękitną Nori. Jestem tym, co wy nazywacie sztuczną inteligencją. Jestem potężniejszy, niż możecie sobie wyobrazić.

Lodowaty palec dotknął dolnej części kręgosłupa Masona. Sposób, w jaki Dziecko to powiedziało...

– Przy moich stwórcach wy, ludzie, i wasi przeciwnicy, Tremiści, wyglądacie jak wyjątkowi durnie – stwierdziło Dziecko, a na jego ekranie pojawiła się uśmiechnięta szyderczo męska twarz.

– Sprowadziłeś nas tutaj. – Mason uświadomił sobie ten fakt w chwili, kiedy to powiedział.

– Oczywiście – odparło Dziecko. – Jesteście pierwszym znakiem.

Mason niemal zapytał, co miał na myśli, ale nie chciał zostać zbesztany.

– Dziękuję, że o to nie zapytaliście – powiedziało Dziecko. – Zobaczyłem wasz „Egipt" na orbicie i uznałem, że nadeszła chwila, aby przedstawić wam prawdę. Możecie ją dostarczyć obu stronom. Jesteście połączoną grupą ludzi i Tremistów.

Miał na myśli Merrin. Kadeta Tremistkę z ZDK.

Ale jaką prawdę...? Mason poczuł ściskanie w żołądku. Właściwie to nie chciał wiedzieć. Albo chciał wiedzieć już, aby mieć z tym spokój. Przerażenie sprawiło, że w ustach zrobiło mu się kwaśno.

– Wyjaśnię to – kontynuowało Dziecko. – Nie ufam Tremistom i nie ufam ludziom. Przez wiele lat wzrastaliście skupieni na sobie. Obie strony mogą wykorzystać prawdę do swoich celów, nie dla pokoju. Ale zajrzałem w wasze serca, młodzieży, i wiem, że możecie zakończyć tę wojnę.

Serce powróciło i zaczęło radośnie bić na powierzchni kuli.

Wtedy właśnie kliknęło połączenie w uchu Masona.

To był Jeremy. Brzmiał, jakby zabrakło mu tchu.

– ...muszę lecieć. Mason? Muszę lecieć. Tremiści są w systemie, cała masa. Nie tylko „Sokół" króla, są WSZYSCY. Spróbuję powrócić. Trzymaj się ciepło, stary.

Łącze ucichło, zanim jeszcze Mason zdołał odpowiedzieć.

Inni tego nie słyszeli.

– „Egipt" musiał opuścić system – przekazał im, łykając ślinę. – Tremiści już tu są.

– Zatem słuchajcie – odezwało się Dziecko, nim pozostali zdołali odpowiedzieć. – Oto prawda, jaką zaniesiecie swoim rasom.

Rozdział 37

Zamiast im powiedzieć, Dziecko dało im zrozumienie. W jednej chwili nie wiedzieli nic. Potem z kuli wystrzeliły wąskie promienie światła, prosto w oczy kadetów. Mason zacisnął powieki i uchylił się, ale promienie odszukały jego oczy, przebiły się przez powieki i dotarły bezpośrednio do mózgu.

W następnej chwili wiedzieli już wszystko.

Ludzie i Tremiści nie byli dla siebie obcy. Nie ewoluowali na oddzielnych planetach.

Obie rasy pochodziły z Błękitnej Nori.

Obie były potomstwem Ludu.

Kiedy Lud znajdował się w rozkwicie, wybuchła wojna, jak to zwykle bywa. W owym czasie Lud dysponował technologią, której nawet Tremiści by nie rozumieli. Rozwijali się tak dobrze, że jakieś pięćdziesiąt tysięcy lat wcześniej właściwie wyewoluowali w dwa oddzielne gatunki. Nowy gatunek nazwano Drapieżcami, były to bestie sprytne i silne. Zupełnie, jakby niektórzy z Ludu osiągnęli szczyt ewolucji, a potem zdegenerowali się z powrotem do poziomu zwierząt. Pozostali przedstawiciele Ludu żyli dalej i stali się Adamsami, którzy się nie zmienili, pozostali fizycznie słabsi od Drapieżców, ale byli znacznie bardziej inteligentni.

Kiedy zaś Drapieżcy zdominowali dawnych braci, duża grupa Adamsów uciekła z Błękitnej Nori dwoma statkami.

Rozdzielili się, aby zwiększyć szanse przetrwania. Jeden statek poleciał na planetę, którą potem nazwano Ziemią, drugi na glob, który stał się ojczystą planetą Tremistów.

Było to kilka milionów lat temu, plus minus trzydzieści tysięcy.

Ale Drapieżcy nadal żyją.

Czekają pod powierzchnią Błękitnej Nori.

Czekają, aż Adamsowie wrócą do domu, aby mieć kim się pożywić.

* * *

Masonowi Drapieżcy wydawali się bardziej potworami niż ludźmi. Jednak opowieść Dziecka miała sens. Przynajmniej tłumaczyła, dlaczego Tremiści i ludzie byli w stanie wyewoluować do postaci, które wyglądały podobnie. Jeśli pominąć fioletowe oczy i włosy oraz prawie przezroczystą skórę, Merrin wyglądała jak człowiek. Ich podobieństwa nie ograniczały się tylko do cech fizycznych. Obie rasy zrujnowały swoje planety. Obie pożądały nowych, aby i je zniszczyć. O to właśnie było całe zamieszanie.

— Czy pozostali jeszcze jacyś Adamsowie? — spytał Mason, przerywając ciszę.

— Tylko ich dzieci. Tylko wy. Czysta linia już wymarła. Słuchajcie jednak uważnie. — Na kuli pojawił się świecący na zielono wykrzyknik. – Jako ostatniemu strażnikowi Ludu, powierzono mi zadanie przechowania ich historii, aby ktokolwiek, kto dotrze na Błękitną Nori, mógł poznać prawdę i przekazał ją dalej. Stworzyłem książkę, w której wszystko jest opisane.

W kuli pojawił się teraz obraz zaciskających się kłów i krótkie migawki zmieniające się tak gwałtownie, że Mason nie potrafił za nimi nadążyć.

– Drapieżcy czekali niecierpliwie, uwięzieni pod ziemią w wyjątkowo potężnym polu hipostazy. Zbudowali swoje miasta w wielkich jaskiniach, ukrytych przed wzrokiem tak ludzi, jak i Tremistów. Obserwowali. Wiedzą, że tu jesteście. Mnie nie mogą bezpośrednio zranić, wiedzą, że wasza trójka jest w stanie zanieść przesłanie obu rasom. Jeśli prawda o Drapieżcach wyjdzie na jaw, zanim planeta zostanie skolonizowana przez którąś ze stron, znajdą się w niekorzystnym położeniu. Liczą na to, że zanim zaatakują, jedna rasa rozgości się tu na dobre. Jeśli tylko zdołają, zjedzą tę prawdę.

Mason zadrżał. Zjedzą.

– Moment – przerwała Merrin. – Dlaczego po prostu nie zatrzymasz ich pod ziemią?

– Ajjj – powiedziało Dziecko. Kula zaczęła się leniwie obracać.

– O co chodzi? – spytał Mason. – Powiedz nam!

– No cóż. Sprowadziłem waszą trójkę tutaj, ponieważ w was wierzę. Ale także dlatego, że kończy mi się energia i nie będę już dłużej w stanie utrzymywać pola. Wiecie, robię to od bardzo dawna.

– Jak dużo mamy czasu? – spytał Mason z bijącym sercem.

– Dziewiętnaście minut. A dokładniej osiemnaście minut i czterdzieści siedem sekund.

Mason nie wiedział, czy śmiać się, czy płakać. Stał tam, czując się tak, jakby dostał w twarz.

– Ty idioto! – Tom był wściekły. – Sprowadziłeś nas tutaj i mówisz, że nas ścigają, czego nie robili jeszcze... zaraz, pół godziny temu? I mają zostać uwolnieni po raz pierwszy od milionów lat?

– Dokładnie tak – odparło Dziecko bez śladu skruchy.

– Och – odparł Tom. – Cóż, nie powinieneś tego robić.

– Nie powiedziałem, że będzie łatwo. – Dziecko, znów pokazało pulsujące serce. – Wiem jednak, że wszyscy jesteście odważni. Inaczej nie znaleźlibyście się tutaj. Kopcie głębiej i przekonajcie się.

„Łatwo powiedzieć" – pomyślał Mason.

– A teraz chodźcie – powiedziało Dziecko. – Nim będzie za późno.

Rozdział 38

Dziecko spłynęło ze swojego filara i zaczęło odlatywać. Merrin ruszyła w jego stronę, ale Tom powiedział:

– Nie wiem, co o tym myśleć. I nie mówię tego ponieważ się boję. To znaczy boję się, bo mam rozum, ale nie dlatego.

Mason też nie wiedział, wiedział jednak, kiedy tak naprawdę miał wybór, a kiedy nie – jak tym razem. To wszystko wydawało się zbyt niewiarygodne jak na sztuczkę, a jeśli nią było, nie rozumiał, o co mogło w niej chodzić. A to znaczyło, że prawdopodobnie rewelacje Dziecka to prawda i obie rasy liczyły na nich.

Dlatego poszli za Dzieckiem w pewnej odległości. Kula leciała w głąb wieży, na jej powierzchni często pojawiała się ręka, kiwając zachęcająco, żeby podeszli. Weszli w tunel, skręcający w lewo i schodzący spiralą w dół. Droga była oświetlona, lecz Mason nie mógł dostrzec jak – światło było rozproszone i nie miało jakiegoś widocznego źródła.

– Proszę, nieco szybciej – przynagliło ich Dziecko, przyspieszając.

Kadeci zaczęli biec po krętej pochylni w dół, najpierw dziesięć pełnych okrążeń, potem dwadzieścia. Mason nie wiedział, jak głęboko pod ziemią się znajdują.

Po jakichś trzydziestu czy czterdziestu okrążeniach tunel kończył się w dużej jaskini. Kojarzyła się Masonowi z krytymi stadionami na Ziemi, tylko ze ścianami wykonanymi z poszarpanych skał. Na jej środku znajdował się filar podobny do tego, na którym znaleźli Dziecko. Jednak na tym spoczywała książka.

– Podejdźcie do niej! – zachęciło Dziecko.

Mason podbiegł i dostrzegł coś w półmroku spowijającym drugi kraniec jaskini. Wejście do kolejnego tunelu.

Zwolnił.

– Nie mogą jej dostać! – ponagliło Dziecko. – Prę...

Ciszę rozdarł głęboki ryk. Za nim rozległy się dwa kolejne, jeszcze głośniejsze. A potem Mason usłyszał odgłos drapania pazurami po skale, zgrzytanie kłów. Dźwięki te dochodziły z tunelu po drugiej stronie.

Tom stanął jak wryty, Merrin tylko zwolniła. Mason przyspieszył, ponieważ wiedział, że im szybciej zabiorą księgę, tym szybciej będą mogli się stąd wynieść.

– Drapieżcy próbują, ale nie uda im się – powiedziało Dziecko. – Obiecuję. Oni tylko lubią próbować. Lud postarał się, abym był w stanie chronić jego wiedzę i zrobię to. Przynajmniej przez następne kilka minut!

Mason był przy księdze. Leżała otwarta. Była wielka, większa niż jakakolwiek książka, którą Mason widział. Szczerze mówiąc, wyniesienie jej może być problemem. Wyglądała, jakby została oprawiona w złoto.

– Dotknij jej – poleciło Dziecko.

Mason tak zrobił.

A wtedy wszystko się zmieniło.

Rozdział 39

W przeciągu kilku sekund księga przekazała Masonowi całą historię Ludu. Czuł to w swoim mózgu jak ciężar. Na razie była jak zamknięta szkatuła, bliska rozsadzenia, tak ciężka, że głowa mu się chwiała, a oczy zaszły łzami. Czuł dziwny szum w głowie, podobny do tego, jaki powodowała elektryczność w rękawicach, lecz bardziej skupiający uwagę.

– Spokojnie, spokojnie – powiedziało Dziecko. – Nie próbuj teraz do niej zaglądać.

Tej wiedzy było po prostu za dużo. Mason nie chciał otwierać prowadzących do niej drzwi, ponieważ obawiał się, że to wszystko zwali się na niego.

– Po prostu ją nieś. A potem podziel się nią z innymi. Ale nie próbuj teraz do niej zaglądać, dopóki nie znajdziesz się w jakimś bezpiecznym miejscu. Gdzieś, gdzie będziesz mógł się przespać.

Mason kiwnął głową.

– Co mu zrobiłeś? – zapytała Merrin.

Z tunelu dochodziły coraz częstsze skowyty. Skowyty, ryki i dziwne sapiące odgłosy. Mason słyszał oddech Drapieżców.

– Mason Stark jest teraz żywym przekaźnikiem księgi, posłańcem, który przyniesie pokój dzieciom Adamsów.

– Aha – powiedział Tom. – I to wszystko?

– Księga musi pozostać tutaj na wypadek, gdyby wam się nie udało.

W głowie Masona zaczęło się już przejaśniać, ale nadal czuł fizycznie, jak ta wiedza w nim spoczywa. Rozumiał, co Dziecko miało na myśli, mówiąc o niepowodzeniu. Chciało przez to powiedzieć, że gdyby Mason umarł, potrzebny byłby następny przekaźnik.

– Idźcie teraz – ponagliło Dziecko. – Do tunelu, na wahadłowiec, do waszej floty. Przedstawcie prawdę, nim wszystko zostanie zniszczone. Idźcie!

Poszli.

Tunelem w górę, najszybciej, jak mogli. Kiedy ryki Drapieżców ucichły, Mason słyszał pulsującą w uszach krew. Droga powrotna minęła zbyt szybko – nie chciał tak prędko znaleźć się na górze, gdzie czekał ich jeszcze bieg i walka. Mason mógł tylko myśleć o bogactwie informacji w swojej głowie, szalonej prawdzie, która mogła wszystko zmienić. Nagle zaczął obawiać się o swoje życie z całkiem innych powodów.

Przebiegli przez parter, obok filaru Dziecka i przez otwór, w przyćmione światło dnia. Wtedy kliknęło łącze w uchu Masona, a sądząc po reakcjach Merrin i Toma, wiedział, że też to słyszeli.

– Tu wiceadmirał Renner nadający na wszystkich częstotliwościach. W systemie znajdują się siły Tremistów. Nie używajcie ciężkiego uzbrojenia. Tremiści ulokowali się nisko w atmosferze, zakładając, że nie użyjemy broni ciężkiej, by nie ryzykować skażenia planety. Brama...

Na niebie pojawiła się jasna iskra, głos admirała na chwilę przerwało statyczne wyładowanie, a on sam zakaszlał. Słowo „brama" sprawiło, że Mason poczuł chłód na ramionach.

Widział teraz bramę, rozwijającą się w atmosferze. Z tej odległości wyglądała jak kropka, błyszczący fragment kurzu. Tremiści zamierzali tego dnia ukraść jeszcze jedną planetę.

– Musimy powstrzymać bramę – powiedział wiceadmirał, choć sprawiał wrażenie pokonanego, a w głosie dało się wyczuć tylko słaby ślad dawnego zdecydowania. – „Olimp" jest w drodze. Mamy nadzieję, że rozproszy ich jak... – Znów przerwało.

Brama się rozwijała, znów wyglądała niczym pająk z tysiącem prostujących się odnóży. Jeśli Tremiści zabiorą Błękitną Nori, to będzie koniec. Nie będzie miejsca dla ludzi. A kiedy Tremiści osiedlą się na planecie, znajdą się w niebezpieczeństwie. Drapieżcy pożrą ich i prawdopodobnie wykorzystają ich technologię, aby rozprzestrzenić się po całej galaktyce.

W uchu Masona rozległo się podwójne kliknięcie, co oznaczało, że nadawca zwraca się wyłącznie do niego:

– Stark – odezwał się wiceadmirał – czy rozstawiliście Zamek?

– Gotowe, sir – odparł Mason.

– Dobrze – tyle powiedział.

– Musimy to powstrzymać – stwierdził Mason, wyczuwając frustrację w swoim głosie. Frustrację, którą widział na twarzy Merrin i w oczach Toma.

Nie wystarczyło jednak, że szanse wydawały się nikłe. Kiedy już zaczęli biec do wahadłowca, „Sokół" króla przeleciał nad drzewami, błyskając zamontowanym pod skrzydłami uzbrojeniem.

Rozdział 40

Mimo to pobiegli. Mason pędził tak szybko, jak jeszcze nigdy dotąd, nie zwracając uwagi na to, że miękka ziemia zapada się pod jego stopami, a wysokie trawy owijają się wokół kostek, jakby cała planeta była sprzymierzona z Drapieżcami. Jakby one również chciały powiedzieć: „To nie jest wasze miejsce. Odejdźcie". A może raczej: „To nie jest wasze miejsce, ale nigdy go nie opuścicie".

Nie mieli szans. Mason krzyknął, kiedy zobaczył, jak „Sokół" wystrzeliwuje spod brzucha grubą wiązkę zielonego lasera. Widział Stellana w oknie, jak macha do nich, aby podeszli. Słyszał, jak wahadłowiec nabiera energii, teraz, kiedy Dziecko chciało, aby odlecieli. Jednak „Sokół" nie strzelał po to, aby zabić, tylko by unieruchomić. Tylne silniki wahadłowca eksplodowały gejzerem niebieskich i srebrnych płomieni. Jeden z dolnych silników wydał z siebie wysoki pisk „errrreiiii" – po czym również eksplodował, podrywając tył wahadłowca do góry, niemal wykonując przewrót. Pojazd opadł, dymiąc i trzaskając wyładowaniami, nienadający się do użytku. Kilka sekund później Stellan pojawił się w oknie, najwyraźniej cały.

Byli teraz uwięzieni na planecie pełnej potworów, które chciały ich zabić. Potworów ukrytych pod ziemią i nowych potworów, bujających w powietrzu. Mason chciał znów krzyczeć, tym razem z frustracji. W opowieściach bohaterowie zawsze mieli coś, co im sprzyja, szczęście zawsze się do nich uśmiechało. Nieważne, jak trudna była sytuacja, zawsze znajdowali jakiś sposób. Zastanowił się, jak wielu niedoszłym bohaterom zabrakło tego łutu szczęścia i nigdy o nich nie wspomniano.

Nie tylko byli uwięzieni, a „Sokół" zbliżał się coraz bardziej; Zamek znajdował się zaledwie kilkaset metrów stąd, płytko w lesie. Jeśli Tremiści w jakiś sposób go namierzyli, zostanie zniszczony szybciej, niż Mason się spodziewał.

„Sokół" zawisł nad polaną, grając na czas, przypominał drapieżnika powoli skradającego się w stronę ofiary. Kiedy zbliżył się do ziemi, Mason zobaczył, jak jest masywny, zajmował ponad połowę polany, rzucał na ziemię długi i szeroki cień.

– Chodźcie, musimy stawić im czoła – powiedział Mason.

Pozostali kiwnęli głowami – nie mieli co do tego wątpliwości, ponieważ byli najlepszym, co ZDK miało w arsenale – i znów ruszyli w stronę wahadłowca. Mądrzej byłoby, gdyby próbowali zgubić ich w lesie, zmusić do pościgu, ponieważ tak naprawdę chodziło im o Merrin, ale nikt nie chciał zostawiać Stellana. Myśl taka pojawiła się na ułamek sekundy w umyśle Masona, ale go zniesmaczyła.

Kiedy dotarli na miejsce, Tremiści już wyskakiwali z „Sokoła", wystarczająco wielu, aby ich wszystkich pozabijać. Mason przypomniał sobie, że ma rękawice Rhadgasta i nie jest już całkowicie bezradny.

Stellan czekał na nich przy tylnym wyjściu, gdzie było pełno dymu, a sam właz został ledwo uchylony. Mason nabrał powietrza, kiedy przeciskali się do środka, nie chcąc wdychać ostrych i gorących gazów ulatniających się ze zniszczonych silników. Razem z Tomem zatrzasnęli klapę za sobą. Jeśli mieli iść do niewoli, to niech to kosztuje Tremistów chociaż trochę wysiłku. A jeśli uda im się odpowiednio długo zwlekać, Zamek przetrwa jeszcze trochę dłużej.

Obserwowali przez okna, jak „Sokół" osiada na polanie, dotykając fragmentów zniszczonego wieżowca. Rozpadły się jak zgniłe pnie w chmurach srebrzystego dymu.

„Dziecko, pomóż nam" – pomyślał Mason. Ale odpowiedź nie nadeszła.

Gdzieś w tle usłyszał basowe dudnienie. Jakby spod nóg. Ile czasu minęło od chwili, kiedy Dziecko ich ostrzegło? Dziesięć minut? Piętnaście? Mason nie miał pojęcia.

– Musimy coś zrobić! – powiedział Tom.

– Jakie urządzenia obronne ma wahadłowiec? – spytała zimno Merrin. Stellan z trzęsącymi się rękami pocił się nad sterami.

Tom otworzył klapę w podłodze i wyciągnął nowe strzelby fotonowe. Włożył jedną z nich do ręki Stellana i przytrzymał, dopóki chłopak nie odetchnął głębiej i nie zacisnął na niej palców.

Niespodziewanie Mason usłyszał głos:

Teraz ty jesteś Rhadgastem.

To był głos Dziecka. W jego głowie.

Jesteś Rhadgastem, więc klaśnij w dłonie.

Klaśnij w dłonie? Nieważne. W tej chwili Mason był gotów spróbować wszystkiego.

Dlatego klasnął.

Rękawice sypnęły fioletowymi iskrami. W następnej chwili Mason trzymał w dłoni trzaskający miecz wykonany z błyskawicy o barwie oczu Merrin.

Rozdział 41

Pozostali zamarli.

Ostrze wyglądało groźnie, choć było niewiarygodnie lekkie. Machnął mieczem na boki; ostrze dalej wyglądało tak samo.

Cofnął lewą rękę, miecz pozostał. Otworzył prawą dłoń i ostrze zniknęło, pozostawiając po sobie tylko smużkę dymu.

– Niezłe – powiedział Tom.

– Jak...? – zaczął Stellan.

Merrin uśmiechała się do niego, delikatnie unosząc ku górze kąciki ust. Mason wiedział, że miecz może nie wyciągnie ich z kłopotów, ale może być tym łutem szczęścia, którego potrzebowali. Niewykluczone, że ich szanse wzrosły.

Cały się trząsł, myśląc o nowych możliwościach. Przez zaciemnioną szybę widzieli, jak w ich stronę idzie król, chroniony przez niewielką gwardię przyboczną Tremistów w lustrzanych hełmach. Pustka na masce władcy zdawała się pochłaniać światło dookoła niego, tworząc cienie z niczego.

– Spraw, aby się znów pojawił – powiedział Tom.

Mason klasnął i miecz powrócił. Czuł, jak po jego rękach krąży moc, jakby rękawice dodały mu jakiejś nowej siły, która nie należała w pełni do niego.

Grzmot pod ziemią narastał, co nie miało sensu. „Sokół" powinien zmniejszyć moc, nie odwrotnie. Może uważali, że odzyskanie Merrin nie zajmie zbyt wiele czasu, i nie zamierzali zostać na powierzchni.

– Idą – w głosie Stellana słychać było nadzieję.

Przez okno kokpitu Mason przyglądał się Tremistom gromadzącym się pod tylnym włazem, który właśnie zamknęli. Było ich stanowczo zbyt wielu. Wydawało mu się, że zdoła się przez nich przebić z mieczem świetlnym, ale wiedział, że to się nigdy nie zdarzy. To fantazja dziecka, nie żołnierza. Nadal jednak, gdyby ktoś próbował zabrać Merrin, chłopak był gotów obciąć mu rękę.

Weszli szybko. Promienie pazurów wycięły okrągły otwór w drzwiach, w ciągu kilku sekund zmieniając je w topiący się metal. Zanim jeszcze rozwiał się dym, w środku pojawił się król, stawiając buty w kolorze zaschłej krwi na uginającym się metalu. Kiedy szedł, dym zwijał się za nim i unosił – tren demona z piekła.

Mason uniósł miecz.

– Imponujące – stwierdził król.

Potem wyciągnął rękę, chwycił ostrze i ścisnął.

Broń zgasła, zniknęła.

– Ale nie aż tak bardzo – dodał.

Tom wystrzelił do niego ze strzelby, ale Tremista przyjął energię pocisku na swoją niesamowitą zbroję, a potem kopnięciem podciął kadetowi nogi. Chłopak gruchnął na pokład, tracąc dech.

Mason klasnął w ręce, lecz kiedy ostrze pojawiło się na powrót, król uderzył go mocno w pierś i Stark upadł obok Toma. Król postawił stopę na jego piersi i było po wszystkim. Chłopak nie mógł oddychać, nie mógł nabrać ani odrobiny powietrza, wiedział, że zaraz się udusi. Nie było na to rady. Czuł, jak krew dudni mu pod czaszką, jak płuca się zaciskają, ponieważ nie był w stanie nabrać powietrza.

Potem Tremista puścił, a Mason odetchnął wraz z Tomem, kiedy król uklęknął przed Merrin.

– Księżniczko – rzekł – nigdy nie chciałem, aby do tego doszło. Pozwól mi wyjaśnić.

– Wasza Wysokość zamordował całą planetę – przerwał mu beznamiętnym głosem Stellan z równym spokojem co zawsze. – Tu nie ma czego wyjaśniać.

Nadal trzymał swoją strzelbę, lecz rozsądnie lufą skierowaną w dół, z dala od władcy.

Maska króla była jak zawsze nieprzenikniona.

– Niczego takiego nie zrobiłem.

– Nie chcę twoich wyjaśnień – powiedziała Merrin. – Nie interesuje mnie, skąd pochodzę.

– Teraz musisz się tego dowiedzieć – stwierdził król.

– Powiedziałam, że mnie to nie interesuje. Niezależnie od tego, po której stronie zaczęłam, teraz jestem po tej właściwej – jej słowa były mocne, ale oczy sprawiały wrażenie lekko wilgotnych, jakby powstrzymywała łzy.

Łoskot narastał, stał się na tyle głośny, że król rozejrzał się po wahadłowcu, usiłując zorientować się, skąd dobiega dźwięk. Dwaj Tremiści wyszli na zewnątrz, aby to sprawdzić.

Kiedy władca powiedział, że niczego takiego nie zrobił, że nie wymordował całej planety, Mason poczuł

coś na kształt nadziei. Mogło to być zwykłe zaprze-
czenie lub coś więcej, przekonanie, że Ziemia nie jest
jeszcze stracona.

Chłopak zastanawiał się, czy nie zerwać się na nogi,
klasnąć w dłonie i zaatakować króla, ale ten wyciągnął
rękę i przycisnął jego pierś z powrotem do podłogi,
niezbyt mocno, tak aby go tylko przygwoździć.

Niespodziewanie Tremista poderwał Merrin z podłogi.

– Pomogę ci zrozumieć – powiedział. Przyciskał ją
do piersi jak ojciec swoje dziecko. Potem wyszedł z wahadłowca, zostawiając chłopców samych.

Nie czekali zbyt długo. Mason właśnie stanął na
nogach i pomagał podnieść się Tomowi, kiedy do wahadłowca wkroczyło czterech Rhadgastów.

Rozdział 42

To już koniec. Mason to wiedział.

Może koniec przyszedł już dawno, a ich wysiłki tylko opóźniały nieuniknione. Może w jakimś równoległym świecie Mason Stark wygrał, pokonał Tremistów, a potem w samą porę przekazał im prawdę. Żałował, że nie jest tym Masonem Starkiem.

– Nie zasłużyłeś, aby to nosić – syknął jeden z Rhadgastów.

Mason spojrzał na siebie; nadal był ubrany w zdobyczny pancerz Tremistów, którego lśniąca powierzchnia oscylowała między czernią a szkarłatem. Nosiło się go tak wygodnie i łatwo, że kiedy chłopak zamknął oczy, w ogóle go nie czuł.

– Ani tego – powiedział drugi, podchodząc, aby zabrać rękawice.

Jednak fakt, że to już koniec, nie oznaczał, że Mason nie mógł walczyć. Nagle klasnął w dłonie i ostrze natychmiast powróciło, trzaskające i gorące, plujące fioletem. Wbrew temu, czego się spodziewał, żaden z przeciwników nie cofnął się, wszyscy czterej klasnęli jednocześnie i teraz w ciasnej przestrzeni wahadłowca było pięć świetlistych prętów. Jednak nawet klaśnięcie zajmuje trochę czasu – może z pół sekundy – lecz to wystarczyło, aby Mason machnął mieczem z prawa na lewo. Rhadgast wygiął się do tyłu, a chłopak równic szybko przeciągnął ostrzem z powrotem. Tym razem natrafił na opór ze strony dwóch mieczy, a żar w rękawicach zdawał się trzy razy większy, lecz Mason zacisnął zęby i włożył w to całą swoją siłę.

Nie wystarczyło.

Dwóch stojących na środku Rhadgastów naparło mocno i Mason upadł na plecy, a ostrze zniknęło. Spróbował klasnąć ponownie, ale oni już byli przy nim. Przycisnęli jego ręce do podłogi. Pomyślał o kilku kopniakach, ale nie zrobił tego. To nie miało sensu, mogło tylko pomóc wyładować frustrację. Pierwszym, co zrobili, było zdarcie rękawic z jego rąk.

Nawet żołnierz zna różnicę między niemożliwym i prawie niemożliwym. Prawie niemożliwe było wtedy, gdy stał na nogach. Przypomniał sobie zdanie z zajęć na drugim roku z logistyki pola walki – przeżyć, aby walczyć następnego dnia. Miało to być bardzo stare powiedzenie, ale rozumiał, dlaczego przetrwało tak długo. „Przeżyć, aby walczyć następnego dnia" – powiedział sobie.

Czterech Rhadgastów wyprowadziło kadetów ze „Smoka", z powrotem w półmrok polany. Drzewa kołysały się na wietrze w przód i w tył, niosąc ze sobą nieznane zapachy. Mason spojrzał w niebo, ale nie widział bramy. Może się przeniosła, może już się rozwinęła i teraz była zbyt cienka, aby ją zobaczyć.

Przynajmniej Tremiści nie znaleźli jeszcze Zamka.

Przed nimi szedł król niosący Merrin, kierował się w stronę lewego skrzydła „Sokoła", tam gdzie znajdowało się tylne wyjście. Mason rozpaczliwie miał nadzieję, że Susan nadal znajduje się na okręcie. Nikomu o tym nie mówił, ale bardzo chciał, żeby ktoś go przytulił.

– Patrzcie – powiedział Tom, wyciągając głowę. W jego głosie pobrzmiewał delikatny ton nadziei.

Mason przeniósł wzrok na niebo, gdzie pojawił się „Olimp". Z tej odległości miał wielkość połowy ziemskiego Księżyca. Tak naprawdę stacja kosmiczna była olbrzymim pierścieniem, mającym ponad trzydzieści kilometrów średnicy. Wyglądała jak koło od roweru, z dziesiątkami szprych prowadzących do centralnego ośrodka. Wewnątrz szprych poruszały się superszybkie pojazdy, które w ciągu kilku minut przewoziły członków ZDK z jednego krańca stacji na drugi. Mówiło się, że liczba przebywających tam ludzi oscylowała w okolicach miliona. Było to największe urządzenie zbudowane przez człowieka, a przynajmniej tak sądzono. Z pewnością była to najskuteczniejsza broń, jaką dysponował.

– Jest nadzieja – powiedział za jego plecami Stellan.

Na pewno była nadzieja – dla ludzkości. Ale nie dla tych na planecie. Przy pomocy Zamka „Olimp" mógł zmienić bieg wydarzeń, ale kiedy tylko Mason o tym pomyślał, zobaczył dwóch Tremistów wybiegających z lasu w miejscu, gdzie ustawili urządzenie.

– Mistrzu Gast – powiedział jeden z nich do Rhadgasta trzymającego Masona za ramię – znaleźliśmy Zamek. Właśnie go niszczymy.

Rozdział 43

Mason już pogodził się z myślą o porażce, toteż tę wiadomość odebrał tylko jako zimne uderzenie w kark. Ziemia pod jego stopami dalej wibrowała.

– Nie podoba mi się to – powiedział Rhadgast. Podniósł nogę, a potem ostrożnie ją opuścił.

Czterech Rhadgastów prowadziło ich na tył „Sokoła", po rampie, a potem korytarzami, aż do wrót na tyle dużych, że mógł przez nie wlecieć ich zniszczony wahadłowiec. We wrotach znajdowały się mniejsze drzwi, które teraz otwarły się przed nimi.

– Czekaj. – Rhadgast zatrzymał Masona.

Ukląkł i zaczął ściągać z niego elementy zbroi. Schodziły łatwo, jak skóra węża, poszczególne fragmenty ze stukotem spadały na pokład. Mason pod spodem wciąż nosił czarny, dopasowany mundur ZDK, wysokie buty i całą resztę. Dobrze było pokazać znów symbol ZDK.

– Teraz idź – powiedział Rhadgast, a jego maska pulsowała łagodnym fioletem.

Chłopcy przeszli przez drzwi do dużego magazynu, który Mason po raz pierwszy zobaczył na zdobycznym „Sokole" razem z Susan, tego, w którym przetrzymywana była załoga „Egiptu". Natychmiast zaczął wśród nich szukać siostry. Większość załogi siedziała lub leżała, opierając się o ściany albo o własne plecy.

Pilnujący ich Tremiści spacerowali między żołnierzami, przyciskając broń do piersi.

Wszyscy wyglądali na bardzo zmęczonych. Wola walki zupełnie się z nich ulotniła, tak samo jak z Masona. Chciał położyć się obok nich. Cała trójka podeszła, mijając tych członków załogi, którzy ich rozpoznawali i kiwali im delikatnie głową lub posyłali smutne spojrzenie.

– Daliście im popalić – powiedział chorąży z opuchniętą wargą. – Skarżyli się na was.

Tom uśmiechnął się, a Mason bardzo chciał, ale nie miał w sobie tyle siły.

– Dobra robota – powiedział kobiecy głos za ich plecami. – Dzieło najdzielniejszych ludzi, jakich miało ZDK.

Mason obrócił się i rzucił w ramiona Susan, niemal ją przewracając. Zapiekły go oczy, ale zatrzymał łzy, przełykał raz po raz. Uścisnęła go mocno i też powstrzymywała łzy; poczuł, jak jej oddech urwał się raz, potem drugi. Wyczuwał dziurę w jej mundurze, tuż obok pleców. Skrzywiła się, kiedy jego palce przesunęły się po skórze, poparzonej i zapuchniętej.

– Przepraszam – powiedział, cofając dłoń.

Zastanowił się, jakie jeszcze rany odniosła, ale wiedział, że mu nie powie, dopóki niebezpieczeństwo nie minie.

– Melduj – powiedziała i odsunęła się, aby spojrzeć w jego twarz, nie ukrywając szerokiego, jasnego uśmiechu.

Choć tak bardzo promienny, był smutny i Mason wiedział dlaczego. Znów się spotkali, ale tylko dlatego, że Mason został pojmany. Ich los był jeszcze bardziej niepewny niż wcześniej.

Mason powiedział jej wszystko, co mógł, w krótkich zdaniach, jak uczyło ZDK, kiedy informacja musiała zostać przekazana szybko i w pełni. Zasadniczo była to opowieść bez emocji.

Jej twarz nie zmieniła się, nawet kiedy powiedział jej prawdę o wspólnym pochodzeniu z Tremistami. Podczas opowiadania patrol zmusił ich do usunięcia się z przejścia, więc podobnie jak inni więźniowie usiedli pod ścianą.

Mason kończył właśnie, kiedy zawieszony wysoko sufit zmienił się z ciemnego w przezroczysty, ukazując niebo rozciągające się nad całym pomieszczeniem. Na niebie Błękitnej Nori widać było obracającą się stację „Olimp", wystrzeliwującą promienie prawie niewidocznego światła. Tam w górze toczyła się wojna, wszystkie siły ZDK były na miejscu.

Ostatni bastion ludzkości.

Dlaczego jednak Tremiści pozwolili, aby to oglądali?

Mason zrozumiał od razu. Gdyby miał w żołądku jakieś jedzenie, pewnie by zwymiotował, ale tak jego żołądek tylko się ścisnął i zaburczał. Tremiści chcieli, aby to widzieli. To było oczywiste.

Ponieważ ZDK miało przegrać.

Pozostali więźniowie spoglądali w milczeniu, podobnie jak Mason. Patrzyli, jak tuż obok „Olimpu" pojawia się druga stacja kosmiczna. Prawie dwa razy większa, co oznaczało, że liczyła sobie przynajmniej sześćdziesiąt kilometrów średnicy. Obie konstrukcje widać było równie wyraźnie, więc Mason uznał, że znajdują się w tej samej odległości. Stacja kosmiczna Tremistów, którą wrogowie ukrywali od początku wojny, miała w sobie kolejne, łącznie cztery, koncentryczne pierścienie.

– No nie – powiedział Tom. – Nie dadzą nam chwili spokoju?

– Doprawdy – mruknął Stellan.

Mason niemal poddał się pragnieniu, aby roześmiać się wariacko; ten dzień rozpoczął się nieudanym dowcipem, a zmienił się w to.

W następnej chwili obie stacje rozpoczęły wymianę ognia. Rozświetliły niebo. Więźniowie zaczęli rozmawiać przyciszonymi głosami, które stawały się coraz głośniejsze, aż ktoś zaczął krzyczeć, a potem Tremista uderzył chorążego w twarz, jakiś sierżant zaczął biec, uchylił się przed promieniem wystrzelonym z pazura, a lustrzane maski zaczęły przerzucać się krótkimi rozkazami.

Sufit znów stał się ciemny. Mason czuł wypełniającą pomieszczenie energię – jeńcy zmienili poczucie porażki w desperację ludzi, którzy nie mają już nic do stracenia. Wiedział o tym, bo sam tak się czuł. Nieważne, że wrogowie mieli pazury, nadszedł czas walki. Tremiści nigdy nie usłyszą prawdy o ich wspólnym pochodzeniu; nigdy tego nie zrozumieją. Pokoju nie będzie nigdy.

Obie rasy zbytnio kochały wojnę.

Dlatego Mason zdecydował się rozpalić ogień.

Powiedział Susan jedyną rzecz, którą ominął w swoim raporcie. Jedyną, której nie chciał jej powiedzieć, ponieważ nie był tego pewien. Nie wiedział, jaki los spotkał w końcu Ziemię, gdzie się znajdowała ani jak wielu ludzi przetrwało tę podróż.

Mimo to uznał, że i tak jej powie.

– Susan.

Kiedy odwróciła głowę, zobaczył spływające po twarzy łzy, ale była całkowicie opanowana.

– Tremiści zabrali Ziemię – Mason niemal dławił się tymi słowami. – Użyli bramy. Ukradli ją.

Otworzyła usta, ale nic nie powiedziała.

Grupa więźniów po lewej stronie Masona usłyszała to, wiedział, że tak się stanie:

– Co on powiedział? Co on powiedział?

– To tylko dzieciak.

– Nie, wierzę mu, sam ładowałem bramę na pokład. Jest prawdziwa.

– Co on powiedział?

– A to dranie! Tremistowskie ścierwa.

– Co on powiedział?

Powtarzali słowa Masona raz po raz.

I ogień zapłonął.

Rozdział 44

Mason zdecydował się posłużyć prawdą, aby pobudzić żołnierzy, i czuł się tak, jakby była to najgorsza rzecz, jaką kiedykolwiek zrobił. Z jednej strony da to im siłę. Ich gniew zniszczy strach. Z drugiej, niektórzy członkowie załogi zginą. Tak po prostu musi być. Czuł ten wielki ciężar na swoich ramionach i żal. Chciał cofnąć swoje słowa, tym razem je wyszeptać.

„Nie – pomyślał – jeśli zostaniemy tutaj, zginiemy". To musiało się zdarzyć. Teraz pocieszał sam siebie. Wiedział, że racjonalizuje. Wiadomość rozchodziła się dalej. Żołnierze teraz stali. Tremiści usiłowali ich bić, ale w sercach ludzi pulsowały teraz płomienie. Wibracje powróciły; Mason wyczuwał je pod pokładem. Może to „Sokół" przygotowywał się do startu. A to znaczyło, że musieli pokonać Tremistów już teraz.

Żołnierze najwyraźniej myśleli w ten sam sposób. Wstali jak jeden mąż, wydawało się, że to fala, która uderza o ściany i cofa się. Tremiści oddali kilka strzałów zielonymi promieniami, ale na oczach Masona zostali powaleni, pozbawieni broni, a pancerze z trudem ochraniały ich przed tratującymi wszystko nogami. Mason widział, jak jeden z żołnierzy kopnął w hełm z boku, zrywając go. Nawet jeśli żołnierze ZDK byli zaskoczeni prawie ludzkim wyglądem wroga, nie okazywali tego.

Płomień gorzał teraz zbyt jasno, ludzka fala pochłaniała kolejnych strażników, zabierała im broń i strzelała z niej do niedawnych właścicieli.

Susan trzymała chłopca pod ścianą, aby go nie stratowano, kiedy fala ruszyła w stronę wrót. Ktoś znalazł kontrolkę wejścia i wrota schowały się pod sufitem; ludzie wylegli na korytarze, wykrzykując wojenny zew. W swoim umyśle Mason widział, co się potem wydarzy i było to coś pięknego. Żołnierze uwolnią się z „Sokoła" i wejdą do lasów Błękitnej Nori, gdzie szanse będą wyrównane: byli szkoleni do walki w lesie, z bronią czy bez.

Ale tak się nie stało.

Pole przestało działać – wyszeptało w jego umyśle Dziecko. *Bądź dzielny.*

Wibracje pod stopami Masona ustały, a potem ziemia rozstąpiła się z trzaskiem i „Sokół" wpadł do dziury.

Rozdział 45

Mason unosił się w powietrzu przez całe dwie sekundy, zanim zaskoczyły używane przy lądowaniach dopalacze, wtedy jego buty uderzyły o pokład. Dopalacze kołysały okrętem na boki, sprawiły, że ugiął kolana i potknął się. Na pokładzie rozlegały się głośne łupnięcia, prawdopodobnie uderzały weń wielkie odłamy skalne. Pojazd wylądował ciężko, ścinając wszystkich z nóg. Ramię pulsowało gorącem, poczuł w ustach smak krwi.

Na korytarzu było pełno ludzi usiłujących wstać. Kilku jęczało, ale większość była spokojna i starała się nikogo nie zdeptać. Z kontaktu w suficie wyleciał niebieski dymek.

– Wszystko w porządku? – spytała Susan. Stała obok, trzymała go za rękę.

– Nic mi nie jest – odpowiedział nieco oszołomiony, ale zdecydowany, by o tym nie wspominać.

– Co do cholery się stało? – zapytał ktoś.

Przez kadłub Mason słyszał niskie, rytmiczne brzęczenie. Chyba usiłowano ponownie uruchomić silniki.

– Idziemy dalej! – krzyknął ktoś i strumień mężczyzn i kobiet popłynął dalej, po drodze podnosząc następnych.

Stellan pomógł Tomowi wstać, po czym przycisnął dłoń do rozcięcia na czole.

– Po prostu musiałeś wleźć do dziwnej wieży obcej rasy – powiedział do Masona.

– Właściwie to żałuję, że tam nie zostałem – odparł Mason.

– Jesteście ze mną – rozkazała Susan, ustawiając ich w luźny kwadrat. Przeszli może ze sto metrów. W pewnym miejscu pojawił się Tremista, wystrzelił z pazura krótką serię i został powstrzymany. Mason nie wiedział jak.

Potem na statku odcięto zasilanie i zapadła wokół nich całkowita ciemność. Mason mógł polegać tylko na swoich uszach: ciężkie oddechy, szuranie butów.

– Trzymać szyk! – krzyknął żołnierz.

– Spokojnie – odparł inny.

Susan mocniej go ścisnęła, ale ktoś wpadł na nich z lewej strony i chłopak został wepchnięty w boczny korytarz.

– Mason! – Palce Susan odnalazły go w ciemności.

– Thomas! – krzyknął Stellan.

Czyjś łokieć wylądował z rozmachem na żebrach Masona, który skulił się, zastanawiając, ile jeszcze razy ktoś pozbawi go tchu, nim ten dzień dobiegnie końca.

Gdzieś w górze zaskrzypiał metal i pojawiło się słabe światło, zamieniając ludzi w ciemne sylwetki. Byli jeńcy wypadli z „Sokoła", krzycząc, dopóki ktoś nie wrzasnął:

– Cisza! Szyk obronny!

Żołnierze wykonali rozkaz w rekordowym czasie.

Susan znów go odnalazła, razem znaleźli też Toma i Stellana, którzy byli na tyle mądrzy, aby nie wybiegać na zewnątrz. Podczas gdy Mason odzyskiwał dech,

Susan poprowadziła ich dalej za żołnierzami w stronę wyjścia. Teraz jednak znajdowali się jakieś pięćdziesiąt metrów za grupą, wrota do wolności były tak daleko, a w bocznych korytarzach słychać było łomot kroków.

– Prędzej – przynagliła ich Susan.

Mason zobaczył swoje rozmazane odbicie w niewielkim, okrągłym lustrze znajdującym się prawie dwa metry nad podłogą; teraz, kiedy większość jeńców już przeszła, pojawili się Tremiści. W ciemnościach skrywających wnętrze okrętu rozjarzył się na zielono wylot lufy pazura, po czym ponad ramieniem Masona przeleciał promień, kilka centymetrów za wysoko, był jednak na tyle gorący, aby oparzyć mu kark. Cała czwórka zerwała się do biegu, wyleciała przez tylny właz i niemal wpadła na stojącą nieruchomo grupę żołnierzy ZDK. Wielu z nich patrzyło w górę, więc Mason zrobił to samo.

Ponad nimi znajdowała się nieregularna dziura wielkości pięści trzymanej na wyciągniętej ręce. Znajdowała się bardzo, bardzo wysoko. Ktoś się roześmiał, a ten śmiech dotarł do uszu Masona jakieś dwie sekundy później. Najwyraźniej znajdowali się w jakiejś olbrzymiej jaskini, ale to nie była ta, w której przechowywano księgę, chyba że „Sokół" spadł bezpośrednio na nią. Przez dziurę przedostawało się nieco dziennego światła, pozwalając rozpoznać ludzi, ale wciąż skrywając otoczenie w ciemnościach. Przez pył wzniesiony podczas lądowania „Sokoła" wszystko wyglądało jak spowite mgłą.

Mason pamiętał, jakie dźwięki wydawali Drapieżcy. Straszne, nieludzkie. Dochodziły z przyległej jaskini, a skoro to nie była ta, w której znajdowała się księga...

– Wszyscy muszą wrócić na okręt – powiedział.

– Co takiego? – Susan spojrzała na niego, unosząc brew.

– Ma rację – dodał Tom, a Stellan pospiesznie pokiwał głową.

Jakiś dowódca wykrzykiwał rozkazy, żołnierze rozchodzili się grupami, aby zbadać teren wokoło.

– Drapieżcy... – domyśliła się Susan.

Mason pokiwał głową. Jaskinia nie zapadła się sama z siebie. Wibracje, które wyczuwał, miały swoje wytłumaczenie. Drapieżcy musieli wiedzieć, że „Sokół" wylądował, więc zaczęli kopać, aż teren się zapadł.

„ A teraz Drapieżcy są wolni" – pomyślał Mason.

I wtedy usłyszeli pierwszy krzyk.

Rozdział 46

Krzyk urwał się natychmiast, nie trwał dłużej niż sekundę, a jednak wszyscy umilkli, nasłuchując, przykucając ostrożnie, podczas gdy pył unosił się wokół nich. W tej mgle Mason zobaczył szybujący kształt. Był dwa razy większy i dwa razy szerszy od największych ludzi, jakich kiedykolwiek widział. I to nie był człowiek. A potem drugi kształt przemknął po prawej, w całkowitej ciszy. Ta sama nieludzka postać.

– Na pokład – szepnęła Susan prawie tak cicho, że nie można jej było usłyszeć.

Mason zrobił krok w tył, zgniatając piętą kawałek skały; dla niego zabrzmiało to niczym wystrzał. Słyszał, jak krew w nim pulsuje, żałował, że nie może zmusić swojego serca, aby zwolniło, aby mógł lepiej wsłuchiwać się w dźwięki dobiegające z otoczenia.

– Dobry pomysł – odpowiedział szeptem Tom.

Mason zauważył, że Tremiści również stali teraz na zewnątrz, ale nie walczyli. Byli przemieszani z żołnierzami ZDK. Wszyscy w ciszy spoglądali w górę. Po lewej ręce Masona żołnierz ZDK majstrował coś przy zdobycznym pazurze. Niespodziewanie wylot lufy zapłonął jak pochodnia skwierczącym zielonym płomykiem, oświetlając rękę tuż koło niego. Wielką, muskularną i żylastą, z dłonią rozmiarów patelni i palcami zakończonymi pazurami. Ręka owinęła się wokół pasa żołnierza i wciągnęła w ciemność.

* * *

– Wszyscy na pokład – zakomenderował Mason, posługując się swoim głosem kapitana.

Cała czwórka zaczęła się powoli cofać. Na „Sokole" wprawdzie znajdowali się Tremiści, ale to był znany wróg. Pozostawanie na zewnątrz nie wchodziło w rachubę. Jeden z Tremistów wystrzelił ze swojego pazura w ciemność, promień oświetlił dwie zwaliste postacie. Ładunek wbił się w rękę jednego z Drapieżców, a kiedy jego ryk wypełnił jaskinię, wszyscy zamarli. Echo odbijało go od ścian, aż brzmiał niczym ryk kilkunastu potworów.

Potem, kto tylko mógł, strzelał na oślep. Promienie z pazurów przecinały się w powietrzu, bzycząc niczym rój szerszeni, rozświetlając ciemność migotliwą zielenią. Czasem Mason słyszał stłumione okrzyki. Odgłos butów kopiących ziemię kazał mu spojrzeć na prawo – zobaczył nogi wciągane w mrok. Susan wlokła go, ale on nie chciał uciekać. Zastanawiał się, czy znajduje się w nim jakaś wiedza z księgi, którą mógłby wykorzystać, aby ich pokonać, ale pamiętał słowa Dziecka. Nie mógł do niej sięgnąć, dopóki nie znajdzie się w jakimś bezpiecznym miejscu. Przepływ informacji mógł go powalić.

– Nie będę się powtarzać, żołnierzu – ponaglała go Susan. Najwyraźniej prosiła go o coś. W zgiełku broni i ryków trudno ją było usłyszeć.

Siostra nadal była nieco silniejsza od niego, więc pociągnęła go do tyłu, do względnie bezpiecznego okrętu. Wcale nie czuł się tam bardziej chroniony, raczej złapany w pułapkę. Teraz pojazd szumiał wzbierającą energią, ale żadna z jego broni nie strzelała. Przez głowę przeleciały mu schematy „Sokoła" i uświadomił sobie, że jednostka była w stanie samodzielnie odeprzeć Drapieżców. Mimo to nikt nie siedział w górnych wieżyczkach. Czy zostały one porzucone, kiedy stało się jasne, że żołnierze ZDK próbują się uwolnić?

Mason wyrwał się z uchwytu Susan i pobiegł. Gnał najszybciej, jak mógł, ignorując ból w ciele i głos Susan wołającej, by wracał. Mógł wyobrazić sobie, co dzieje się na zewnątrz. Drapieżcy w końcu przemkną obok spanikowanych obrońców i dostaną się na pokład. To było nieuniknione. Mason wiedział, że jeśli ciężka broń nie zacznie strzelać, i to szybko, nikt już nie zobaczy nieba. Jakiegokolwiek.

Dlatego biegł. Rozpoznał korytarz prowadzący na dziób okrętu. Minął dwóch Tremistów, którzy na jego widok zatrzymali się i opuścili broń. Nim Mason usłyszał, jak strzelają, już był za rogiem.

Gdy dobiegł do mostka, płuca paliły go żywym ogniem, drzwi były szeroko otwarte. Jego puls bił dwa razy szybciej niż zwykle. Na mostku nikogo nie było, więc wszedł do środka. Był to bardziej kokpit – tylko dwa duże fotele ustawione obok siebie przed szerokim, półokrągłym panelem z urządzeniami. Przez okno widział tylko ciemność. Jednak kamery cieplne na konsolecie pokazywały wszystko: niewielkie ludzkie figurki skaczące wokoło, celujące z broni to w lewo, to w prawo.

W głębi czaiły się większe kształty, niektóre na czterech łapach, wypadające naprzód i cofające się jak sklonowany tygrys w zoo, którego kiedyś widział na nagraniu. Widział, jak jeden większy kształt wyskoczył, zagarnął mniejszy i zaciągnął go do pozostałych.

Nie mógł na to patrzeć.

Ale mógł walczyć.

Usiadł w fotelu po prawej, przeznaczonym dla drugiego pilota i strzelca, popatrzył na wskaźniki. Nie różniły się zbytnio od tych używanych przez ZDK. Mason doszedł do wniosku, że to pewnie ma związek z ich wspólnym dziedzictwem. Jednak od czasu nauczenia się ich obsługi w Jedynce nie poświęcał im zbytniej uwagi. Na szczęście górna wieżyczka była obsługiwana drążkiem sterowym. Mason chwycił go i system się uaktywnił; z konsoli podniósł się nowy ekran.

Później było jak na ćwiczeniach ze strzelania z broni ZDK. Przesuwał drążkiem, namierzał większe kształty i strzelał. Gorąco rozświetliło ekran na biało, a kiedy temperatura opadła, Drapieżcy byli rozproszeni. Uciekali niczym stado wilków z powrotem do tunelu, gdzie gromadziło się ich jeszcze więcej. Ciepło ich ciał rozświetlało mrok tak samo jak obsługiwana przez niego broń. Wystrzelił ponownie, jeden Drapieżca potoczył się po ziemi, rozpraszając inną grupę. Wyczuwał strzały przez drgania pancerza, które przechodziły na jego kręgosłup. To działało. Drapieżcy uciekali.

Na obrazie z innej kamery zobaczył, że Tremiści i żołnierze ZDK wbiegają z powrotem do „Sokoła". Nie walczyli już ze sobą, biegli ramię przy ramieniu.

Jeśli jednak silniki nie zadziałają, to wszystko będzie na nic. To, że mieli zasilanie, nie oznaczało jeszcze, że zdołają stąd odlecieć; rozmiar uszkodzeń nie był znany. Wieżyczka się nagrzewała. Drapieżcy wciąż biegali wokoło i unikali jego wystrzałów; wiedział, że jeszcze pół minuty i będzie musiał dać broni czas na ostygnięcie. Nie mógł jeszcze zamknąć tylnego włazu, gdyż wciąż wbiegali po nim ludzie, niektórzy niosąc rannych towarzyszy.

Mason wypatrzył wielki, fioletowy guzik umieszczony niemal na szczycie konsoli, w miejscu, do którego niełatwo było dosięgnąć. Inżynierowie z ZDK twierdzili, że uruchamiał on silniki, ale nie nie mieli pewności. Chłopak doszedł do wniosku, że to dobry moment, aby się o tym przekonać. Dlatego nacisnął.

Ściany „Sokoła" zatrzęsły się i znieruchomiały.

Drapieżcy znów wychodzili z tunelu, wystrzelił więc w tamtą stronę dwa kolejne rozżarzone do białości promienie światła. Plamki powidoku zatańczyły na siatkówkach.

Ponownie nacisnął guzik.

Tym razem silniki zawyły wyżej niż przedtem. Czy był to dobry znak? Rozgrzewały się? Trzymany w dłoni drążek zapłonął na czerwono, zaczął piszczeć alarm. Wieżyczka się przegrzała. Na ekranie pojawiły się znaki Tremistów, które – zdawało się – zmniejszały wartość, ale nie wiedział, od jakiej liczby. Przycisnął guzik, lecz nie było odpowiedzi.

Drapieżcy wydawali się to wyczuwać, ponieważ wielkie kształty ponownie zaczęły wychodzić z tunelu. Jeden wyrwał się do przodu i pobiegł w stronę „Sokoła", gdzie kilku maruderów czekało, żeby wejść na pokład. Mógł ich złapać, nie było czasu. Mason musiał zamknąć wrota albo ryzykować, że Drapieżca dostanie się na pokład.

– Źle to robisz.

Mason podskoczył na fotelu i obrócił się z podniesionymi pięściami; król Tremistów siadł obok na fotelu pilota.

Rozdział 47

Mason zamarł.

Król nie zwracał na niego uwagi i ponownie nacisnął wielki fioletowy guzik. Trzymał go wciśnięty przez pełne dziesięć sekund.

„Sokół" wrócił do życia.

Inny ekran pokazywał sylwetkę okrętu; lśniła pulsującym, fioletowym światłem, co Mason uznał za dobry znak.

Drapieżca znajdował się o kilka sekund biegiem od „Sokoła", ale król wcisnął jakiś guzik, wrota się zamknęły, a Drapieżca wpadł na nie. Wszyscy żywi dostali się już na pokład. Na termowizji Mason zobaczył stygnące ciała, rozrzucone dookoła.

– Szczelność poszycia? – spytał król.

Mason zorientował się, że mówi do niego. Spojrzał na ekran, który zasłaniał własnym ciałem przed wzrokiem króla. Kadłub był przerwany w dwóch miejscach, ale zostały one automatycznie odcięte. Byli gotowi do lotu w kosmos.

– Można lecieć – powiedział.

Król skinął głową. Drapieżcy musieli wyczuć, że zdobycz im ucieka, ponieważ wypadli wszyscy z tunelu niczym woda z rozbitej tamy. Jeśli naprawdę byli tacy inteligentni, to wiedzieli, że odlot okrętu oznacza kres

ich planów. Obie rasy dowiedzą się o istnieniu Drapieżców i nikt nie powróci na Błękitną Nori, przynajmniej
dopóki nie będzie gotowy na uporanie się z tymi bestia-
mi. Mason widział w ich ruchach desperację, i to roz-
paczliwą. Dziesiątki Drapieżców były gotowe wskoczyć
na „Sokoła". Mason już wyobrażał sobie, jak lądują na
bardziej delikatnych częściach jednostki i rozrywają je
pazurami.

– Musimy się pospieszyć. – Czuł się głupio, że mówi
coś tak oczywistego.

– Owszem.

I oto obaj działali razem, ratując swoje rasy, a jednak Mason czuł, że coś go uwiera. Było to coś w głowie i nie chodziło o złożoną tam wiedzę. Istota siedząca obok niego ukradła Ziemię. Wyrwała planetę z jej
Układu Słonecznego. Być może była też odpowiedzial-
na za Pierwszy Atak, w którym zginęli jego rodzice.
Mogła sama wydać do niego rozkaz. Mason nie mógł
o tym zapomnieć. Nie chciał współdziałać z królem,
nawet jeśli ratował w ten sposób ludzi, na których mu
zależało.

Kątem oka dostrzegł leżący na podłodze pazur, pewnie król sam go tam odłożył. Jeszcze go nie potrzebował, dopóki król nie wyprowadzi ich w bezpieczną
przestrzeń kosmosu.

Król pociągnął mocno za główny drążek sterowy,
„Sokół" wyrwał się z krateru z jękiem i serią gwałtow-
nych wstrząsów. Drapieżcy byli blisko, ale termiczne
zarysy ich sylwetek przesłonił biały blask silników.
Wznosili się, a żołądek Masona został wciśnięty w jelita.

Król sprawnie wyprowadził ich przez dziurę, w którą wpadli, i Mason znów zobaczył niebo. Zapadał już zmierzch, a na firmamencie lśniły nieznane mu gwiazdy. Byli wolni od Drapieżców, a Mason nie zamierzał ich już nigdy oglądać, do końca życia.

„Sokół" z łatwością pokonywał niebo, przemierzał średnie i górne warstwy atmosfery. Mason wykorzystał fakt, że byli ustawieni pod kątem, i zeskoczył z fotela, spadając w stronę tylnej części kokpitu. Chwycił pazur i załadował go w dwie sekundy, zaś król nadal trzymał ręce na sterach.

„Niech zapłaci" – pomyślał Mason.

„Niech zapłaci za wszystkich na Ziemi. Niech zapłaci za mamę i tatę".

Nawet jeśli król coś zauważył lub przejął się jakoś, nie okazywał tego. Potem powiedział:

– Ziemia ma się dobrze.

Mason się nie poruszył.

– Ziemia ma się dobrze.

– W porządku. – Więcej nie był w stanie wykrztusić.

„Sokół" dudnił w atmosferze i Mason niemal stracił oparcie. Powoli podszedł do swojego fotela i usiadł, trzymając broń na tyle daleko, aby król nie zdołał jej chwycić, a chłopak mógł pociągnąć za spust. Potem zażądał:

– Wyjaśnij to.

– Przenieśliśmy Ziemię do naszego systemu słonecznego, podobnie jak wy chcieliście zrobić z Błękitną Nori. Teraz nad Ziemią świeci nowe słońce, nasze. Nasza gwiazda jest nieco chłodniejsza, ale twoja planeta znajduje się dokładnie w takiej odległości od niej jak od waszego Słońca, aby zachować istniejące warunki pogodowe. Jej mieszkańcy żyją i mają się dobrze, oczywiście jeśli ZDK przyjmie nasze warunki.

Trzymał Ziemię jako zakładnika. Całą planetę.

– Nic im nie jest – powiedział Mason.

– Tak. Obecnie rok jest nieco krótszy, podobnie jak dzień, a bez Księżyca będą działy się dziwne rzeczy z przypływami, ale to nic, czemu nie moglibyśmy zaradzić. Proszę więc, abyś przestał we mnie celować z tego pazura.

Mason dalej w niego celował.

Niemal wylecieli już z atmosfery, wkrótce będą mogli zobaczyć kosmos. Mason miał nadzieję, że jest tam coś wartego oglądania, że podczas kiedy oni wygłupiali się pod ziemią, obie floty nie zniszczyły się wzajemnie.

– Natychmiast oddaj Ziemię. – Mason postanowił nie odpuszczać.

– Obawiam się, że na chwilę obecną to niemożliwe. Dostałem właśnie informację, że wasza stacja kosmiczna „Olimp" zniszczyła bramę.

Rozdział 48

Mason od razu wiedział, co robić. Wiadomość, że Ziemia dalej będzie należała do Tremistów, nie miała już teraz znaczenia. Nie mógł tego zmienić i prawdę mówiąc, spodziewał się tego. Wyglądało na to, że gdyby ZDK zamierzało odzyskać bramę, Tremiści prawdopodobnie celowo by ją wysadzili. Była czymś zbyt niebezpiecznym, aby istnieć dalej.

Zatem jeśli król zamierzał władać Ziemią przez najbliższe lata, Mason chciał upewnić się, że król wie, co przejmuje.

Wyciągnął rękę i dotknął krwistoczerwonego ramienia króla. Tylko dotknął. I pomyślał, a wtedy dziwna energia przetoczyła się przez jego rękę do władcy. Czuł, jak wylewa się z jego mózgu niczym płynna elektryczność. Król stęknął cicho, nieruchomiejąc na swoim miejscu.

Teraz istniały dwie osoby, które znały prawdę o ludziach i Tremistach. Mason chciał najpierw przekazać zrozumienie, nie całą historię. Król dalej pilotował „Sokoła", a Mason nie chciał mu zaszkodzić. Chciał tylko, aby zrozumiał.

Król osunął się nieco na fotelu, wysuwając do przodu podbródek, po czym potrząsnął głową, jakby chciał coś wyrzucić z myśli.

– Co zrobiłeś...? – spytał cicho.

– Pokazałem ci prawdę.

– To niemożliwe...

– Wiesz, że nie.

Król zamilkł, a Mason nie mógł dostrzec, o czym rozmyśla za czarną zasłoną maski.

– Może czas wynegocjować jakiś traktat – powiedział król.

Potem wylecieli w kosmos, a Mason zobaczył, że jest już za późno.

Rozdział 49

Obie floty były przerzedzone i rozproszone. W przestrzeni unosiły się okręty różnej wielkości, niektóre ciemne i martwe, inne z działającymi silnikami i błyszczące tarczami. Mniejsze dalej angażowały się w pojedynki, ale „Olimp" i stacja kosmiczna Tremistów były mocno uszkodzone. Płonęły całe ich fragmenty, zdawało się, iż unoszą się w przestrzeni. Przez dłuższą chwilę Mason i król nic nie mówili.

Chłopak zobaczył, że „Egipt" trzyma się z tyłu. Nieuszkodzony.

– Pierwszym warunkiem traktatu jest powrót mojej załogi na „Egipt".

Król nic nie powiedział.

Mason spróbował zatem ponownie:

– Masz już Ziemię. Gdybym nie użył wieżyczki, Drapieżcy by nas dopadli i byśmy nie żyli.

Król milczał przez następną chwilę, po czym zwiększył moc silników i skierował okręt poniżej obszaru, w którym trwała walka.

Mason stuknął się za uchem.

– Jer?

Jeremy natychmiast odpowiedział:

– Hej.

– Hej.

– I jak tam?

– To długa opowieść, ale lecę „Sokołem" króla. Daj nam wylądować.

– Okej.

Dziewięćdziesiąt sekund później „Sokół" przemknął obok „Egiptu" i włączył silniki manewrowe. Jednostki zetknęły się ze stłumionym uderzeniem, a następnie połączyły. W tym samym czasie król i Mason rozmawiali na dwóch osobnych kanałach. Król odwoływał swoje wojska, a Mason połączył się z wiceadmirałem Rennerem.

– Planeta jest niedobra, sir – mówił Mason. – Nie ma o co walczyć. Proszę spojrzeć, gdzie jestem. – Kadet poruszył zamontowaną na konsoli kamerą i starannie pokazał króla.

Wiceadmirała właściwie zatkało.

– A niech mnie... – wyszeptał.

– Sir?

– Nic. Czy reszta zespołu jest bezpieczna?

– Są ofiary, ale wszyscy kadeci żyją. Wiem, że długo by tłumaczyć, sir, ale musi pan wezwać do przerwania ognia. Natychmiast.

Król spojrzał w stronę kamery, przerywając swoją rozmowę.

– Naprawdę, człowieku.

Widoczny na monitorze wiceadmirał wciągnął powietrze przez nos i powoli wypuścił.

– Zrozumiałem – powiedział wreszcie.

Rezultat był prawie natychmiastowy. W kosmosie zaczęło się uspokajać. Pojedynki ustały, każdy okręt udał się w swoją stronę. Bitwa się skończyła, zwycięzców nie było. Mason spoglądał przez chwilę na wraki, wiedząc, że zaraz zostaną wysłane jednostki ratownicze. Jeśli zachowano reguły bezpieczeństwa, na każdym uszkodzonym okręcie znajdowały się przedziały, gdzie załoga mogła się zebrać i oczekiwać na ratunek.

Potem Mason obrócił się na fotelu.

– Następny warunek traktatu: wszyscy ludzie z ZDK przejdą razem ze mną z twojego okrętu na mój.

Król kiwnął głową.

– Włącznie z Merrin Solace.

– Zapytamy ją, co chce zrobić.

To zaskoczyło Masona i wydawało się podejrzane. Oczywiście, że Merrin będzie chciała zostać z ZDK... prawda?

Mason kiwnął tylko głową. Obaj przeszli ramię przy ramieniu do włazu, zza którego tak niedawno chłopak patrzył, jak jego siostra zostaje na wrogiej jednostce. Teraz znów będą razem. To już było zwycięstwo w zwycięstwie, ale takie, którego nie można porównać ze zniszczeniem, jakie oglądał od czasu, kiedy ostatnio się obudził.

Susan wyszła pierwsza, za nią Tom i Stellan. Merrin już tam była; musiała widzieć, że okręty dokują, i postanowiła znaleźć się niedaleko wyjścia. Oznaczało to, że nie była nigdzie zamknięta, a to już dobry znak.

Kiedy pojawili się Mason i król, obie grupy znieruchomiały. Dwadzieścia minut temu Tremiści i ludzie byli śmiertelnymi wrogami, a nie wszyscy poznali jeszcze prawdę.

– Teraz panuje pokój – oświadczył król, a Susan rozluźniła się, ale tylko trochę.

Mason domyślał się, iż fakt, że jej mały braciszek stoi teraz obok króla, był wystarczającym dowodem na prawdziwość tych słów, ale nie odprężyła się zupełnie. Położyła dłonie na ramionach Stellana i Toma, by przejść z nimi na pokład „Egiptu". Merrin nadal stała obok ojca.

– Chodź, Mason. Merrin – powiedziała Susan.

– Ten chłopak nas ocalił – król zwrócił się do swojej córki. – Jeśli pozostaniesz ze mną, uczynię cię jednym z ambasadorów wśród ludzi. Nadal będziesz mogła widywać przyjaciół, a jednocześnie doprowadzisz obie rasy do pokoju. Zostań ze mną.

Król przerwał, pochylił lekko głowę.

– Jesteś moją córką, Merrin. Nie chcę znów cię stracić. Pozwól mi pokazać ci, skąd pochodzisz.

Merrin przełknęła ślinę.

Nim zdołała odpowiedzieć, Jeremy odezwał się przez kanał ogólny:

– Ee, cała załoga do monitorów.

Jeden z nich był zamontowany na ścianie obok włazu. Pojawił się powiększony obraz powierzchni Błękitnej Nori.

– Na powierzchni planety ma miejsce duża aktywność sejsmiczna – powiedział. – Niemal wulkaniczna.

Na ekranie duża część lasu rozpadała się na kawałki. Na dole ekranu pojawiła się linijka świadcząca o tym, że to obszar około stu sześćdziesięciu kilometrów. Z tej odległości las wyglądał jak zielony dywan, nie można było rozróżnić pojedynczych drzew. Na ich oczach teren pośrodku zaczął się zapadać, drzewa nachylały się i spadały do jakiejś dziury. Zapadlisko powiększało się, wpadało do niego coraz więcej drzew, średnica cały czas rosła, zmieniając się w koło, aż dziura stała się wielkim, czarnym kraterem.

– Co się dzieje? – spytała zdumiona Susan.

Na odpowiedź nie musiała długo czekać. Z dziury wyleciał okręt większy niż cokolwiek, co Mason kiedykolwiek widział. Długi jak krater, mierzył prawie sto sześćdziesiąt kilometrów, zbyt wielki, aby mieć tak naprawdę jakiś kształt, raczej ogólny zarys prostopadłościanu. Musiał mieć całe setki poziomów. Był czarny jak kosmiczna pustka. Kiedy zaczął się wznosić, odpadały od niego bryły ziemi wielkości gór.

Drapieżcy wiedzieli, jak się lata.

„Dziecko, dlaczego nam nie powiedziałeś...?" – pomyślał Mason. Nie spodziewał się, że będąc tak daleko, usłyszy odpowiedź.

I wtedy Dziecko odpowiedziało słabym głosem:

Nie wiedziałem.

Okręt Drapieżców wciąż znajdował się w atmosferze, kiedy wystrzelił promień białego lasera w stronę dwóch lecących blisko siebie jednostek – uszkodzonej ZDK i „Sokoła", tracącego fioletowe i zielone gazy. Błysk na ekranie był tak jasny, że Mason musiał przymknąć oczy.

Kiedy światło zgasło, oba okręty wyparowały.

Rozdział 50

Mason musiał dokonać wyboru. Przejście żołnierzy ZDK pozostających w ładowni zajęłoby zbyt wiele czasu. Na ekranie pojawił się następny błysk, kolejne dwie jednostki zamieniły się w pył, migoczący w świetle słońca. Nadeszła pora, by opuścić ten przeklęty system. Reszta żołnierzy ZDK będzie musiała zaczekać – nie było czasu, aby przenosić ich wszystkich, nie teraz, gdy w każdej chwili mogli wyparować. Mason zrobił dwa kroki, wziął Merrin za rękę i pociągnął na pokład „Egiptu”.

– Przepraszam – powiedział do króla. – Potrzebuję jej do pilotowania mojego okrętu.

Nacisnął guzik, który zatrzasnął wrota między nimi. Przez okno widział czarną maskę króla. Ten nic nie odrzekł, tylko odszedł. Być może stawiałby większy opór, gdyby okręt Drapieżców nie znajdował się w górnych warstwach atmosfery. Mason przyjrzał się maszynie nieco dłużej. Przednią część konstrukcji dzieliła długa, cienka pozioma linia, wyglądająca jak linia ust. Lśniła czerwienią, jakby za nią powstawało jakieś ogromne ciepło. Ciepło, które sprawiło, że Mason poczuł większy chłód niż do tej pory.

– Idziemy! – rzuciła Susan i cała piątka pobiegła ku łącznikowi. Kiedy dotarli na mostek, okazało się, że jest on w pełni obsadzony.

Przy najbliższej konsoli zasiadał komandor Lockwood. Jego oparzenia zostały częściowo zaleczone, jednak nadal był w kiepskim stanie. Połowę twarzy miał różową i błyszczącą, jedno oko tak spuchnięte, że wyglądało jak zamknięte. Widać było, że cokolwiek zrobili z nim kadeci, przynosiło to efekty.

Jeremy wstał z fotela dowódcy.

– Wreszcie. Mam dosyć bycia kapitanem.

Komandor był tak słaby, że tylko kiwnął Masonowi głową. Chłopak odpowiedział takim samym skinieniem.

– Sir?

– Nie jestem w pełni władz fizycznych i umysłowych – powiedział Lockwood. – Mostek jest twój.

Tom dołączył do Susan przy konsoli sterowania ogniem.

– Wszystko w gotowości!

Merrin usiadła na stanowisku pilota.

– „Sokół" się odłączył. Jesteśmy wolni.

Mason ponownie zasiadł w fotelu.

Okręt Drapieżców był już w przestrzeni kosmicznej. Załodze może nie odebrało mowy, ale słychać było pomruki i pełne zaskoczenia westchnienia. Przez kopułę „Egiptu" ujrzeli, jak przesłania sobą słońce Błękitnej Nori. Obie floty skryły się w jego cieniu.

Po prawej stronie kopuły pojawiły się nagle obok siebie wizerunki króla i wielkiego admirała Shahbaziana.

– Wszystkie okręty w przestrzeni Błękitnej Nori... – powiedział admirał.

– ...atakować bez rozkazów – dokończył jednocześnie z królem.

Cienie rozświetlił blask laserów i wiązek cząsteczkowych mknących przez mrok... aby odbić się od kadłuba, nie czyniąc mu żadnej szkody. Każdy promień i kula światła wystrzelone w stronę Drapieżców odbijały się, niektóre wracały i trafiały w jednostki, z których zostały wystrzelone. Najjaśniejsze błyski pochodziły z dwóch białych promieni wystrzelonych z dziobu okrętu Drapieżców, które zatańczyły ponad obiema flotami, niszcząc każdą jednostkę, jakiej dotknęły.

A potem przednia część okrętu Drapieżców otworzyła się.

Lśniąca linia, którą widział wcześniej Mason, rozwarła się niczym paszcza. Wielkie szczęki wypełniał płonący wewnątrz ogień. Jedna z części przesunęła się w dół, jak u ziewającego aligatora, po czym zamknęła dwa razy szybciej, miażdżąc i połykając dwa małe myśliwce, które znalazły się zbyt blisko. Dwie małe eksplozje płomieni, a potem nic. Jak schrupanie świetlików. To było dosłownie pożeranie okrętów; paszcza była na tyle duża, aby połknąć obie stacje kosmiczne naraz. Gdzieś na mostku jakiś pierwszak płakał.

W głośnikach rozległ się głos wielkiego admirała:

– Ewakuacja! Wszystkie jednostki ZDK, wycofać się w dowolnym kierunku! – powiedział, kiedy coraz więcej statków wybuchało.

Tak niewiele ich zostało. Kadeci przekazywali sobie informacje, ale Mason ledwo ich słyszał. Na ekranie działo się coś nowego. Dwie stacje kosmiczne usiłowały uciec. Lecz Drapieżcy utrzymali je w miejscu przy pomocy jakiegoś pola siłowego, które objęło obie jednostki. Był to srebrzysty, połyskujący promień ściągający, który wystrzelił niczym laser i gładko owinął się wokół nich. Dopiero po kilku sekundach Mason pojął, co się dzieje. Nie było powodu, aby niszczyć tak wiele posiłków. Mniejsze okręty były uciążliwe i pewnie niewarte zachodu, ale jeśli zdołają odizolować obie stacje kosmiczne, oznaczałoby to miliony ciał, które mogliby schwytać i zjeść.

Ktoś zadawał mu jakieś pytanie:

– Odlatujemy? Odlatujemy? – pytała Merrin. Siedziała w swoim fotelu, zwrócona w jego stronę.

Kosmos był już niemal pusty: okręty, które mogły uciec, już to uczyniły. Pozostały tylko wraki. No i „Egipt".

Oraz „Sokół" króla.

Wtedy właśnie król odezwał się na ekranie wyświetlanym na kopule. Nie tracił czasu.

– Wygląda na to, że mamy wspólne zadanie.

– Nikt nie pozostał – powiedział Mason i natychmiast tego pożałował.

Niezależnie od tego, co robił okręt Drapieżców, aby utrzymać w miejscu dwie stacje, nie wydawało się, by zauważał obie pozostałe jednostki. Może nie miał dość mocy, aby zniszczyć je natychmiast.

– My pozostaliśmy – sprostował król. – W przeciwieństwie do twojego ZDK, nie porzucę swojej stacji.

Moi naukowcy sądzą, że okręt Drapieżców jest tak zaprojektowany, aby odbijać wystrzały z broni energetycznej...

– Mamy na pokładzie broń konwencjonalną! – wykrzyknął Stellan, przerywając królowi. Mason nigdy nie widział, aby był czymś tak podniecony, nie okazywał w ogóle strachu. – Mamy wyrzutnię torped na wypadek, gdyby energia z rdzenia musiała być przekazana do silników! Możemy je odpalić!

„Zbyt ryzykowne" – pomyślał Mason. Okręt Drapieżców był po prostu zbyt wielki, a przynajmniej taki się wydawał. Ale czy mogli siedzieć z założonymi rękami, po prostu oddać im obie stacje? Wszyscy tam zginą i jeśli Mason da rozkaz do odwrotu, spadnie to na jego głowę. Musieli spróbować. Spojrzał na Susan, ale ona już była zajęta przy konsoli sterowania ogniem, uzbrajając torpedy.

– Odwrócę ich uwagę – zaproponował od razu król. – Nie mamy żadnej broni konwencjonalnej.

– Tak jest – potwierdził Mason.

Obraz króla zniknął, a Merrin obejrzała się przez ramię na Masona.

– Podleć bliżej – powiedział.

Rozdział 51

Dwa okręty, które kiedyś należały do wrogich sobie ras, teraz ruszyły wspólnie tak szybko, na ile tylko pozwalały im silniki. Mason odczuł przyspieszenie mimo kompensatorów ciążenia i spojrzał na panel swojego fotela: prędkościomierz obracał się zbyt szybko, aby można było odczytać wskazania. Cała załoga wstrzymała oddech, a obraz okrętu Drapieżców na kopule rósł, aż przesłonił kosmos.

– Namierzyć źródło promieni ściągających! – krzyknął Mason, chwytając dłońmi podłokietniki. – Przygotujcie się do wystrzelenia w to miejsce wszystkich torped!

Tom i Susan działali szybko, by upewnić się, że każdy z pocisków poleci, gdzie trzeba. Może nie zdołają uszkodzić całego okrętu, ale jeśli uda im się zniszczyć promienie ściągające, stacje mogłyby uciec.

Szczęka otworzyła się szeroko, wewnątrz buzował ogień. Mason widział tylko czerwień i czerń. A potem nagły wybuch gorącego białego światła, kiedy została trafiona ta część „Egiptu", w której znajdowały się kwatery załogi. Mason ledwo to poczuł, lecz nagle okręt wypadł z kursu, a silniki nie potrafiły zrównoważyć zmniejszonej masy. Rozległa się seria szczęków, kiedy grodzie awaryjne odcinały przestrzeń kosmiczną od łącznika. Zaczęli szaleńczo wirować, przez kopułę widzieli gwiazdy, dwie stacje, a potem ponownie okręt Drapieżców. Wokół tańczyły chmury zatomizowanego gazu – to było wszystko, co zostało z lewego walca „Egiptu". Mason wiedział, że zaraz zginą.

Ale wcześniej rozwalą te promienie.

– Ognia! – krzyknął.

Spod mostka wystrzeliły błękitne torpedy, pozostawiając za sobą ślad spalonego paliwa. Leciały szybko i dosięgły celu, wybuchając na dolnej części szczęki wielkimi kulami pomarańczowego i czerwonego ognia, który zniknął równie szybko, jak się pojawił. Promienie ściągające w jednej chwili zniknęły.

Mason nacisnął guzik łączności:

– „Olimp", możesz lecieć do domu!

Pod okrętem Drapieżców zaczęło lśnić białe światło. Mason odruchowo otworzył pokrywę na prawym podłokietniku i walnął pięścią w wielki, czerwony guzik. Kopuła została wystrzelona natychmiast, odrywając się od reszty „Egiptu". Gdyby kadeci nie byli przypięci pasami, pospadaliby na podłogę. Ich okręt przestał istnieć chwilę potem, biały promień zamienił go w pył tak, jak stało się to z wieloma jednostkami w trakcie ostatnich dziesięciu minut.

Jednak zostali wystrzeleni pod niewłaściwym kątem. Zamiast oddalać się od paszczy, kierowali się prosto w nią. Po raz pierwszy i ostatni Mason zobaczył jej wnętrze. Cała była w jakiś niemożliwy sposób wypełniona płomieniami. Widział wewnątrz dymiące szczątki myśliwców, podobne do kawałków mięsa tkwiących między zębami drapieżnika. Niemniej udało im się: po prawej, w miejscu, którego jeszcze nie zasłoniła wielka paszcza, zobaczył, że dwie stacje oddalają się od okrętu Drapieżców. „Olimp" już rozstawił swoją wyjątkowo wielką bramę.

Mason mógł mieć tylko nadzieję, że król odleci bezpiecznie swoim „Sokołem" i wreszcie odda załogę ZDK tam, gdzie powinien. Popatrzył najpierw na Merrin, potem na Susan, żałując, że nie mieli więcej czasu. Chciał im coś powiedzieć, ale nie był pewien co. Chciał przeprosić Merrin – gdyby nie zaciągnął jej na pokład „Egiptu", miałaby do dyspozycji resztę swojego życia. Gdyby jej nie potrzebował.

Paszcza zamykała się, mknęła ku górze jasnym, pomarańczowym łukiem.

Mason zamknął oczy.

Rozdział 52

Jakiś czas później, kiedy już odzyskał przytomność, otworzył je. Później dowiedział się, że mostek nie był wyposażony w kompensatory ciążenia, zatem kiedy został gwałtownie pociągnięty do tyłu z szybkością zbyt wielką dla ludzkiego ciała, wszyscy na mostku stracili przytomność. Mieli szczęście, że nikt nie zginął. Dwaj kadeci mieli popękane naczynka krwionośne w oczach, a jeden złamał rękę.

Podczas tych piętnastu sekund, kiedy był nieprzytomny, obejrzał historię Ludu. Księga ukryta w jego umyśle wreszcie się otworzyła, teraz znajdowały się w nim narodziny i śmierć cywilizacji. Było tego zbyt wiele, aby wszystko zrozumieć od razu czy w ogóle, ale wiedział już, jakie problemy przeżył Lud. Te same rzeczy, przez które w przeciągu ostatnich dziewięciuset lat przechodziła ludzkość. Chciwość, jak zauważył. Lud pragnął więcej i więcej, dopiero gwałtowny rozbłysk słoneczny sprawił, że nabrali nieco rozumu. Kiedyś powierzchnia Błękitnej Nori była miastem. Cała planeta była jednym gigantycznym miastem. Ale rozbłysk zmienił to wszystko w góry złomu. Wszystko, co było elektroniką, zostało zniszczone. Wtedy właśnie oddzielili się Drapieżcy i zaczęli żyć jako osobna rasa, legenda mówiła też, że to właśnie rozbłysk zapoczątkował ich mutację. Lud chciał znaleźć sposób, by dalej żyć; choć planeta była martwa, istniały oznaki, że powróci do swojego pierwotnego stanu i porośnie lasem. Ale Drapieżcy nie chcieli się zmieniać, więc walczyli.

Obudził się, nim zobaczył wojnę. Z poczuciem zadowolenia, że niezależnie od tego, co się stało z dwiema rasami, Błękitna Nori znów porosła lasami. I znów walczyły o nią dwie rasy, które pragnęły zniszczyć ją po raz kolejny, ale to wydawało się zmieniać. Miał mętne, ale głębokie przekonanie, że zmiany wszechświata miały charakter cykliczny. Ale to może odzywała się jego ludzka natura – niewykluczone, że istniały też inne obce rasy, które były naprawdę mądre i nauczyły się wszystkiego z wystarczającej liczby cykli.

Pierwszą rzeczą, jaką ujrzał przez kopułę „Egiptu", był widok znacznie mniejszego okrętu Drapieżców. Mniejszego, ponieważ oddalili się od niego. „Sokół" leciał z połową prędkości, a jego silniki lśniły jaśniej niż gwiazdy. Holował kopułę za sobą.

Kiedy reszta oszołomionej załogi odzyskała przytomność, kopuła została wciągnięta do ładowni „Sokoła". Przeszła przez pole siłowe oddzielające okręt Tremistów od kosmosu, a potem przejechała po podłodze, aby spocząć na środku ładowni. Żołnierze ZDK otoczyli ją, ciesząc się i bębniąc pięściami w kopułę. Wszyscy się uśmiechali.

Susan wyprostowała się i ziewnęła; po policzkach płynęły jej łzy.

– Na „Olimpie" było dziś sześćset tysięcy ludzi, braciszku – powiedziała.

Mason mógł tylko skinąć głową, cały dygotał.

Jeremy otworzył drzwi w tylnej części kopuły, kadeci wysypali się, zostali wzięci na ręce i przeniesieni przez ładownię. Nikogo nie obchodziło, że nadal znajdowali się na okręcie Tremistów. Wszystko się zmieniło. Nie wiadomo jeszcze jak, ale na pewno tak się stało.

Król pojawił się kilka minut później i skinął na Masona, aby do niego podszedł. Postawił chłopca na szczycie kopuły, a potem sam gładko wskoczył na górę. Pozostali Tremiści również zebrali się w ładowni, ale pazury mieli schowane.

– Mamy nowego wroga – zaczął król, po czym razem z Masonem wytłumaczyli obu rasom to, czego chłopak dowiedział się z księgi. Kiedy mówili, przez tłum przechodziły i cichły fale pomruków.

– A co z Ziemią!? – krzyknął ktoś. Wiele osób powtórzyło okrzyk za nim.

Król uniósł ręce, aby uciszyć zgromadzonych.

– Ziemia jest bezpieczna i zostanie zwrócona do waszego systemu słonecznego, kiedy tylko zostanie zbudowana nowa brama. Obecnie znajduje się obok naszej rodzimej planety. Miejsca, które wszyscy wkrótce odwiedzicie, jeśli mamy znaleźć jakiś sposób, aby powstrzymać nowe zagrożenie.

Mason chciał, aby rozległ się następny wybuch radości, ale prawdę mówiąc, rany zadane sobie nawzajem przez obie rasy były zbyt świeże. Jednak czuło się nadzieję. Rany być może zaczną się goić. Kilka osób zaklaskało, ale to było wszystko.

Przez resztę podróży żołnierze ZDK pozostawali w ładowni. Susan odnalazła go później, ścisnęła za ramię i nachyliła się, aby powiedzieć mu coś do ucha.

– Mama i tata byliby z ciebie dumni – powiedziała, a Masonowi znów zebrało się na płacz, choć to nie było coś, co kapitan powinien robić. Dlatego tylko pokiwał głową.

Podróż była długa i nieco nużąca, więc Mason zebrał pozostałych kadetów, wrócili do kopuły, uruchomili Elizabeth i kazali jej tworzyć dla siebie scenariusze bitew.

Rozdział 52

Dwa tygodnie później brakowało dwóch dni do rozpoczęcia nauki w Dwójce. Mason nie znajdował się jednak w pobliżu Marsa, nie było go nawet w Układzie Słonecznym. Znajdował się na pokładzie stacji kosmicznej Tremistów, którą pomagał uratować. Nazywała się „Wola".

Ceremonia podpisania traktatu odbyła się w centralnej kapsule, w której znajdował się idealny park. Była tam sadzawka, drzewa z zielonymi i niebieskimi liśćmi, zwierzęta skaczące po konarach. Pod powierzchnią sadzawki przemykały ciemne kształty nakrapiane złotem z różowym odcieniem. Między drzewami znajdowała się polana. Ponad nią widać było atramentową czerń kosmosu, podobnie jak przez kopułę „Egiptu". A w tej przestrzeni Mason widział dwie planety, krążące po tej samej orbicie. Ziemia była zakrytą chmurami błękitną kulą, a planeta Tremistów, zwana przez nich Skars, nieco mniejszą kulą o żółtawym odcieniu.

Po jednej stronie stał z całym otoczeniem wielki admirał Shahbazian, a król po drugiej. Tym razem nie nosił maski. Widać było, że jest ojcem Merrin. Fioletowe włosy, blada skóra. I łagodne oczy. Z początku Mason nie mógł w to uwierzyć. Nadal nosił zbroję w kolorze zakrzepłej krwi. Królowi towarzyszyło czterech Rhadgastów; Mason miał wrażenie, że cały czas na niego patrzą.

Między obiema grupami znajdowało się podium, na którym leżały trzy kawałki papieru i bardzo stare wieczne pióro.

– Dziś podpisuję ten traktat w nadziei, że nasze wielkie rasy mogą działać razem przeciwko wspólnemu wrogowi – powiedział wielki admirał Shahbazian. – Że wspólnie możemy odkryć naszą przeszłość i znajdziemy połączenie, które czyni nas braćmi.

Kilku fotografów zrobiło zdjęcia, transmisję wideo przekazywano na oba światy i każdy okręt między nimi.

– Dziś podpisuję ten traktat z tych samych powodów – oświadczył król.

Tom roześmiał się. Susan dała mu kuksańca. Mason też się uśmiechał.

– Pod jednym warunkiem – dodał król.

Zdawało się, że ucichł sztucznie wywoływany wiaterek, słychać było tylko cichnący szelest liści.

– Jakim warunkiem? – spytał Shahbazian.

Mason pomyślał, że chyba wie, o co chodzi. Merrin stała obok niego. Była w mundurze ZDK, a fioletowe włosy miała zebrane w kucyk. Chwycił ją za rękę, a ona go uścisnęła, zanim sam zdołał to zrobić. Miał wrażenie, że to uścisk na pożegnanie. Mason prawie otworzył usta, aby coś powiedzieć. „Czekaj" albo „nie idź". Nie zdążył.

– Chciałbym, aby zwrócono mi córkę – oznajmił król.

Merrin wyrwała się z uścisku Masona, zanim admirał zdążył się sprzeciwić. Podeszła bliżej i powiedziała:
– Idę.

Nikt się nie odezwał. Merrin podeszła do podium, stanęła pośrodku. Zwróciła się w stronę ZDK.

– Muszę iść, ale wrócę.

Wtedy Mason zrozumiał jej poświęcenie. Wiedział, że prawdopodobnie wcale nie chce iść, nawet jeśli ciekawił ją świat, z którego została zabrana. Ale odchodząc, utrzymywała traktat w mocy. Idąc dobrowolnie, zachowała prawo wyboru. Nikt nie mógł jej zmusić, aby została albo poszła. W tym momencie Mason podziwiał ją jeszcze bardziej i zastanawiał się, czy na jej miejscu miałby dość siły, aby zrobić to samo. Miał nadzieję, że tak.

Merrin Solace stanęła u boku swego ojca. Informacje o tym, jak została zabrana, uczyniły ją sławną. Kiedy miała dwa lata, komandos ZDK nazwiskiem Howerdell zabrał ją z poprzedniego „Sokoła" króla podczas ataku. Ówczesny wielki admirał nie wyjawiał, kim jest, i nie wykorzystał tego faktu, lecz oddał pewnemu małżeństwu, aby wychowało ją jak własną córkę. Małżeństwo to, znany lekarz i podporucznik ZDK, zgodziło się, ponieważ od ośmiu miesięcy byli na liście oczekujących na adopcję. Później okazało się, że Merrin i jej nowa rodzina byli cały czas obserwowani, a ZDK miało wobec niej pewne plany, gdyby Ziemianie zostali przyparci do muru. Ostateczny argument przetargowy. Mason był zaskoczony, że wiadomość ta nie przysporzyła Tremistom więcej sympatyków. Po bitwie nad Błękitną Nori Merrin usiłowała skontaktować się ze swoją rodziną i usłyszeć ich wersję, ale ZDK kazało ich gdzieś zamknąć.

Nie pozostawało zatem nic innego, jak podpisać traktat. Potem obie strony uścisnęły sobie ręce, ale nie było żadnego świętowania. Za wiele osób zginęło, a powód zawarcia tego porozumienia był zbyt poważny.

– Mam jeszcze jedną prośbę – oznajmił król po tym, jak podali sobie dłonie ze Shahbazianem.

– Tak? – odparł wielki admirał.

Król spojrzał na Masona i uniósł brew.

– Moi Rhadgastowie poprosili, aby ten chłopiec przybył do ich szkoły na szkolenie. Mówią, że ma dar.

– To wykluczone – zaprotestował Shahbazian tak cicho, że Mason usłyszał go tylko dlatego, że stał obok. – Już zabrałeś mi dziś jednego kadeta.

Król skinął głową.

– Będą rozczarowani. Ale zaproszenie dalej obowiązuje, młody Starku, jeśli zmienisz zdanie.

Mason wciąż oswajał się z tym, co powiedziano. Zostać wyszkolonym jako Rhadgast? Też słyszał coś o świątyni i darze. Wreszcie byłby z Merrin, nie powinna być sama.

– Czy mogę się zasta... – zaczął, lecz wielki admirał już kierował go z powrotem w stronę wahadłowca.

– Czekajcie! – zawołał ktoś.

Mason odwrócił się. Jeden z Rhadgastów szedł w ich stronę, jego czarne szaty szeleściły na posadzce. Miał w dłoniach parę fioletowych rękawic. Skurczyły się, ale Mason wiedział, że się rozciągną. Rhadgast ukląkł przed Masonem, który stał prosto i nawet nie mrugnął.

Włożył rękawice w dłoń Masona, po czym pochylił się. Mason czuł ciepło dochodzące zza jego maski, czuł ciepło bijące spod jego szat.

– Znajdź nas – wyszeptał mu do ucha Rhadgast – jeśli chcesz poznać prawdę o swoich rodzicach.

Wyprostował się i odszedł, zanim Mason zdołał coś odpowiedzieć. Z trudem oddychał. Wielki admirał znów go pociągnął, chłopak, potykając się, podążył za nim.

„Prawdę o swoich rodzicach..."

Mason odnajdzie Rhadgastów, a potem prawdę. Tego był pewien.

– Co ten magik do ciebie mówił, synu? – spytał szorstko Shahbazian. Patrzył na Masona zmrużonymi oczami.

– Nie dosłyszałem – odparł chłopiec.

Wielki admirał burknął coś, po czym poszedł dalej obok reporterów kręcących materiał i wykrzykujących pytania:

– Mason! Mason Stark! Dlaczego Rhadgast dał ci rękawice? Jak się czujesz jako bohater?

Mason zignorował ich. Nie był bohaterem, był żołnierzem. Obejrzał się przez ramię i zobaczył Merrin stojącą we władczej pozie obok swego koronowanego ojca. Jego najlepsza przyjaciółka pomachała ręką i uśmiechnęła się. Mason zmusił się, aby odpowiedzieć uśmiechem. Miał nadzieję, że zobaczy ją ponownie, ale nie był tego pewien.

Jednak jedno było całkowicie pewne.

Pora wracać do szkoły.